Vivir no es tan divertido,
y envejecer, un coñazo

Oscar Tusquets Blanca

Vivir no es tan divertido, y envejecer, un coñazo

EDITORIAL ANAGRAMA

BARCELONA

Ilustración: «Juan Belmonte desafiando a la muerte»,
© Oscar Tusquets Blanca

Primera edición: marzo 2021
Segunda edición: mayo 2021
Tercera edición: noviembre 2021

Diseño de la colección: Julio Vivas y Estudio A

© Oscar Tusquets Blanca, 2021

© EDITORIAL ANAGRAMA, S. A., 2021
     Pedró de la Creu, 58
     08034 Barcelona

ISBN: 978-84-339-9920-7
Depósito Legal: B. 2901-2021

Printed in Spain

Romanyà Valls, S. A., Sant Joan Baptista, 35
08789 La Torre de Claramunt

- Un libro es un suicidio aplazado.
- No conozco nada más penoso que una vida exitosa, satisfecha.

E. M. CIORAN

EN EL FRENTE DEL SOMME

Hoy, a finales de agosto de 2020, regreso al frente del Somme, entre Paris* y Calais, donde se libró la famosa batalla de la entonces llamada Gran Guerra. Con el objetivo de mostrar a mi mujer y a mis hijos aquel conmovedor lugar, tenía el viaje programado y detalladamente organizado desde hace meses, pero, tras el prolongado estado de alarma y los más de cien días de estricto confinamiento provocado en España por la pandemia del coronavirus, me parece extremadamente pertinente. Además, me gustaría tomar referencias para alguna pintura que agregar a la serie de arquitecturas pétreas que estoy realizando.

Visité la zona hace muchos años atraído por su interés arquitectónico. Crear arquitectura para los muertos, o mejor, para los vivos que no quieren olvidar a sus muertos, ha sido siempre una oportunidad sin par

* Por expreso deseo del autor, los nombres de lugares y personas aparecen en el idioma original. *(N. del E.)*

9

para el proyectista. La carga simbólica, lo ambiguo de su función, lo trascendente y metafísico de su mensaje han permitido a la arquitectura funeraria dejar emotivos monumentos a todo lo largo de la historia de la humanidad; desde las pirámides de Egipto o las tumbas de Saqqara o Petra hasta el cementerio de Asplund en Estocolmo, el de Carlo Scarpa en San Vito, o el de Miralles en Igualada. Sin olvidar tantos cementerios anónimos –flanqueados por cipreses en la costa mediterránea, sobre el césped en el centro y norte de Europa–, apretados cementerios judíos y monumentales cementerios neoclásicos como el de Genova. El culto a los muertos, el desesperado intento de que no se borren de nuestra memoria, ha propiciado obras imperecederas en todas las culturas de la tierra. Aunque no creamos en la reencarnación, ni en la vida eterna, ni en las religiones que han inspirado estas obras, continúan emocionándonos, comunicándonos algo misterioso y sobrecogedor; que trasciende lo racional.

Si cualquier cementerio tiende a conmovernos, los de los campos de batalla de la Gran Guerra, sobre todo los del Somme, son estremecedores. En el extrañísimo paisaje que rodea el Memorial canadiense de Vimy –ubicado justo en el lugar del antiguo frente y el más visitado– ya no hay barro, alambradas ni trincheras (solo queda un fragmento como testimonio), sino una pradera surreal donde la hierba ha tapizado los cráteres de los obuses, cuya individualidad ya no se reconoce, pues están tan próximos entre sí que se integran en un *continuum* ondulado, en una superficie extrañamente arrugada que nunca habíamos visto antes, un aberrante accidente tectónico que hoy, aunque en el siglo transcurrido se haya poblado de grandes coníferas, aún no podemos pisar por temor a que explosione un antiguo obús. El monumento del Memorial, diseñado por el arquitecto y escultor Walter Allward, es sobrecogedor, una maravilla de lo que en mi juventud llamábamos *integración de las artes*. En Allward no sabemos si admirar más su talento de paisajista, de arquitecto o de escultor. Su monumento, situado en el punto más elevado, mira un valle sembrado en un cincuenta por ciento de cruces y en otro cincuenta por ciento de lápidas. El caso de Canada es bien curioso, ya que en los otros cementerios hay cruces si son franceses y lápidas –de diseño y grafía muy elegante– si son de la Commonwealth (lápidas que solo incluyen un símbolo religioso si la familia así lo solicitó). Todas estas tumbas corresponden a los combatientes cuyos cuerpos fueron identificados. Los desaparecidos o no identificados fueron millares, en Vimy 11.285. Para ellos se levantaron los monumentos conmemorativos. En el fondo, el encargo que recibió Edwin Lutyens en Thiepval –encargo que resolvió con genial talento– fue levantar un grandioso encerado donde escribir los 70.000 nombres de combatientes desaparecidos en la batalla; nombres que se gravaron en preciosa letra lapidaria romana y se ordenaron en estricto orden alfabético. Para ello, el gran arquitecto levantó el monumental triple arco de triunfo en obra vista y luminosa piedra de Portland. En el conmovedor Memorial australiano de Villers-Bretonneux los 11.000 nombres se ordenan por diferentes cargos:

Thiepval
Oscar Tusquets Blanca, 2020
Óleo sobre lienzo

Villers-Bretonneux
Oscar Tusquets Blanca, 2020
Óleo sobre lienzo

oficiales, aviadores, soldados de infantería, ingenieros, médicos... El caso de Villers es muy instructivo. En 1925 el Gobierno australiano convoca un concurso donde el uso de piedra proveniente de Australia es preceptivo y en el que solo pueden participar combatientes veteranos australianos y sus padres. En 1929 se escoge el proyecto del arquitecto William Lucas, pero al año siguiente, por críticas a la propuesta de Lucas y a su elevado coste en plena Depresión, se decide abandonar el proyecto. No es hasta 1935 cuando se decide reemprenderlo bajo el proyecto más económico del británico Sir Edwin Lutyens, que ya había demostrado su capacidad en otros monumentos del frente, como en Longueval, Étaples y sobre todo en Thiepval. Lutyens hace un bellísimo proyecto donde introduce la poética y casi surreal idea de banderas pétreas. La obra se termina en 1937, es el último gran Memorial de la Gran Guerra. *Tout est bien qui fini bien,* nunca mejor empleada la expresión.

Estas obras –probablemente las últimas hondas de la historia– se levantaron en recuerdo a los caídos en la terrible batalla que, a lo largo de cuatro meses del verano de 1916, solo sirvió para que las tropas de la Triple Entente avanzasen algo más de cuatro kilómetros y que costó 1.200.000 muertos. Hace de ello poco más de un siglo. Más de millón de bajas en cuatro meses, casi 58.000 el 1 de julio, primer día de la confrontación, cuando los británicos (las tropas francesas se habían desplazado al nuevo frente de Verdun) avanzaron confiados en que la descomunal preparación artillera de los días anteriores había destrozado las defensas alemanas. Pero no sucedió con todas, muchos nidos de ametralladoras habían resistido y los alemanes masacraron a la infantería británica. Casi 60.000 muertos en unas horas, más del doble que los fallecimientos por coronavirus en cien días de estricto confinamiento (del 15 de marzo al 21 de junio de 2020) en nuestro país. Casi 60.000 jóvenes con una vida por delante, muchachos que se mataban sin conocerse, no ancianos afectados por el virus que en alguna proporción hubiesen fallecido por otras dolencias durante esos meses.

Algo de esto refleja la oscarizada y espectacular película *1917*. Independientemente de alguna gratuita e inverosímil secuencia, el film me dejó frío, sensación parecida a la que me produjo la también espectacular y premiada *Dunkerque*. El motivo evidente es que ambas son obras *patrióticas* y eso me distancia irremediablemente de ellas. Sobre la misma tragedia, prefiero sin duda *Sin novedad en el frente,* film de 1930 basado en el libro *Im Westen nicht Neues* de Erich Maria Remarque. Relato tan radicalmente antibelicista que, siendo de un excombatiente alemán, fue prohibido por el Gobierno nazi y apenas visto en nuestro país. Allí me encontraréis.

La Gran Guerra causó al final unos 10 millones de muertes y solo fue el preludio de la Segunda Guerra Mundial, y, según cálculos contradictorios, sumarían entre 60 y 100 millones en apenas treinta años. Una masacre cruel y absurda de la que parecía imposible reponerse. Y, aunque Europa ya no volvería a ser protagonista de la historia, lo hicimos.

PALOS DE CIEGO

Comencé este escrito sobre el coñazo de envejecer y la aceptación de morir antes de que se desatase la pandemia a inicios de 2020, pero la auténtica pandemia boba que provocó me ha llevado a redactar esta introducción en recuerdo del frente del Somme. Si lo he traído a colación aquí es para no perder la noción de escala respecto a la presente tragedia. Afirmé en su momento que de esta pandemia saldríamos no solo más empobrecidos sino más tontos. Dije esto en una entrevista antes de que apareciera el libro, del controvertido filósofo Bernard-Henri Lévy, *Ce virus qui rend fou,* que leí inmediatamente en su edición en francés porque me temía que desarrollase esta idea con argumentos más documentados y concluyentes que los que yo podía escribir. Así fue, en efecto. Lévy denuncia, con su habitual arrojo e incorrección política, la serie de insensateces con la que el mundo ha enfocado esta pandemia. Pone en duda las medidas sanitarias de la casi totalidad de los países. Sobre la supuesta infalibilidad de los doctores llega a decir: «El rey está desnudo, incluso si es médico. El rey está desnudo sobre todo si es médico.» Se mofa de los que consideran el confinamiento una experiencia enriquecedora y la pandemia una oportunidad de replantear nuestras prioridades.

De muy joven aprendí que, ante una pregunta sobre la que no tenían una respuesta clara, solo los buenos profesores respondían: «Pues he de reconocer que no lo sé.» Los malos no lo reconocían nunca. Aún espero escuchar a un político o a un pretendido especialista decir: «Ciudadanos, este es un problema tan nuevo que no tenemos idea de cómo afrontarlo.»

Verdad es que la privilegiada generación europea a la que pertenezco nunca había vivido algo parecido; nos cogió por sorpresa, aunque algún sabio nos había advertido del riesgo, en su inicio fue un auténtico «cisne negro» —esos acontecimientos altamente improbables e imprevisibles que pueden alterar la historia que analiza lúcidamente N. N. Taleb—. En su libro Taleb explica que hasta finales del siglo XVIII el mundo conocido estaba convencido de que todos los cisnes eran blancos. Ninguna evolución genética hacía prever que un día surgiesen cisnes negros. Pero de pronto, imprevistamente, aparecen cisnes absolutamente negros en Australia. De ahí viene el término para nombrar esos fenómenos aleatorios. Taleb afirma que la misma Gran Guerra fue un «cisne negro», algo imprevisible que solo a posteriori los historiadores han considerado inevitable.

Pues bien, bajo esta óptica, el inicio de la enfermedad y el contagio de Wuhan (China) fue un auténtico «cisne negro» aunque, como reconoce el mismo Taleb, su expansión universal en forma de pandemia podía y debía preverse. Pero, salvo contadas y admirables excepciones, la reacción del mundo occidental no solo ha sido tardía y dubitativa; ha sido timorata, cobarde y cursi. Ante la magnitud de la tragedia, nuestros gobernantes han optado por lo que la lengua española denomina con extrema propiedad *palos de ciego* (un ciego dando palos, ¡qué imagen más carpetovetónica; podía ser un grabado de Goya!). Como esto es nuevo, nuestros políticos, que no tienen la menor experiencia ni criterio, hacen lo más fácil: prohibir, por ejemplo, reuniones de más de seis personas, pasear sin mascarilla por calles y parques, lo mismo para los jueces de línea y los recogepelotas en el tenis, fumar en las terrazas, tomar el sol o permanecer tras el atardecer en la playa, bañarse en el mar sin nadar, pasear sin correr o sin un perro, hablar al ir en transporte público aunque se lleve mascarilla..., *palos de ciego*. Deberían atender la sabia sentencia de Napoléon: «Imponer condiciones excesivamente duras es dispensar de su cumplimiento.» Recalcitrantes amantes de prohibir argumentan que solo seremos prudentes bajo estrictas prohibiciones, que los suecos son mucho más obedientes que nosotros; claro, sufren muchas menos severas y absurdas restricciones; sin cerrar una escuela ni obligar a enmascararse por las calles no han sufrido peores resultados que nosotros.

Las mascarillas siempre me horrorizaron. Cuando las veía en Japón o en los aeropuertos de Oriente no podía imaginar que un día tendría que enmascararme yo. Aunque en los países menos afectados por la pandemia su uso ha sido masivo desde hace mucho, su utilidad en espacios abiertos o en lugares en que se puedan garantizar dos metros de distancia está por demostrar. A mí me parecen horrorosas, me impiden reconocer a los amigos, afean a mis amigas, no sé si me sonríen o si no les he hecho puñetera gracia, son un pegote en el rostro, y si las decoramos es aún mucho peor: diseñar lo indiseñable. Además, a los duros de oído nos pone las cosas aún más difíciles; la voz se distorsiona al atravesar la mascarilla y no poder detectar el movimiento de los labios dificulta la comprensión. El amigo sordo de nacimiento que, tras un aprendizaje severo, podía conversar con nosotros si le hablábamos despacio y vocalizando claramente se ha quedado incomunicado. Cuando veo a un locutor de televisión impartiendo su catequesis enmascarado frente al micro (como si el virus pudiese alcanzarme a través de las ondas hertzianas), comienzo a insultarle.

En nuestro país solo recibimos interminables sermones de políticos y supuestos especialistas en los que se nos exhorta al sacrificio y a la obediencia, a la vez que aparecen multitud de spots publicitarios, sobre todo de cervezas, de un buenismo ecologista absolutamente kitsch. Auténtica catequesis, ejercicios espirituales de mi infancia.

Nos estamos efectivamente atontando porque nunca había escuchado tantas bobadas en mentes pretendidamente preclaras: afirmar que la pandemia es el producto de los errores y excesos del mundo contemporáneo, del poco respeto por el medio ambiente, de la agrupación en grandes urbes, del abuso del transporte privado, de las desigualdades sociales, del capitalismo, de comer carne, ¡del machismo!... Por lo visto, hay que replantear el urbanismo universal, el transporte de personas y mercancías, la arquitectura, la alimentación, la enseñanza primaria, la universidad, los espectáculos, las relaciones sexuales...

Vamos a ver: epidemias universales las ha habido a lo largo de la historia con mucha más virulencia. Basta recordar la de la peste negra, que causó unos 200 millones de muertes hasta el año 1400, o la de la mal llamada gripe española, que causó entre 50 y 100 millones alrededor de 1918. La novedad no ha sido la virulencia de la enfermedad sino su rápida expansión, provocada porque el mundo se ha vuelto uno, personas y productos viajan por doquier en pocas horas: este, y no otro, es el intruso problema al que nos enfrentamos.

No creo en absoluto que el virus haya sido voluntariamente creado en un laboratorio; chino para los americanos, georgiano para los rusos, ruso para los chinos. Desconfío, como Karl Popper cuando habla de teorías conspirativas, de los que explican un acontecimiento –de índole política, social, económica, religiosa o histórica– por medio de la acción secreta de grupos poderosos.

No creo en conspiraciones. Estoy harto de ver películas y series donde los malvados son inteligentísimos y los buenos lamentables ingenuos. Creo que a Kennedy lo mató Oswald, que las Twin Towers las derribaron yihadistas, creo que el hombre llegó a la

Luna, creo que la Tierra es aproximadamente esférica (y sé que el helenista Eratóstenes calculó su diámetro con prodigiosa precisión hace más de dos mil doscientos años) y vacuné a mis hijos. A este respecto, resulta concluyente el capítulo de *A hombros de gigantes* donde Umberto Eco analiza, con su humor y clarividencia habituales, paranoicos complots históricos (cómo pone a caldo *El código Da Vinci* es una gozada).

El virus no nació por demasiada tecnología, lo más probable es que naciera por comer animales salvajes sin el más mínimo control sanitario (de manera parecida a como nació el sida), una costumbre bastante primitiva, diría yo. Comprendo que un tema serio y urgente sea revisar el mal urbanismo y la mala arquitectura bajo la óptica del ahorro energético (el buen urbanismo y la buena arquitectura siempre lo han hecho), pero no veo la relación directa con la expansión de la pandemia. Este utópico y rousseauniano retorno a la naturaleza no sé cómo nos va a proteger de imprevisibles «cisnes negros». No precisamos menos tecnología, precisamos tecnologías más sofisticadas y mejor dirigidas. Como dice el clarividente Harari, en el descreído mundo contemporáneo hemos dejado de percibir la plaga como castigo divino para atribuirla siempre a un fallo humano. Hoy no se pueden dar accidentes, toda desgracia debe tener un responsable. Si a unos excursionistas los fulmina un rayo es responsabilidad del departamento gubernamental estadounidense que les ha permitido acampar.

No niego que necesitemos invertir aún más esfuerzos para proteger vidas humanas, más hospitales, más médicos, más enfermeras. Almacenar más máquinas respiratorias, más equipos de protección, más test. Invertir más dinero en investigar patógenos desconocidos y desarrollar nuevos tratamientos. Pero hasta ahora se ha actuado como si lo único importante fuese salvar vidas de ancianos. El número de fallecidos (la única cifra que me parece objetiva) a lo largo de la pandemia es elevadísimo, pero ¿cuántos de ellos superaban los ochenta años y sufrían patologías previas?, ¿cuántos, en circunstancias normales, hubieran fallecido durante esos meses por estas u otras dolencias?

Numerosos científicos de la Universidad de Oxford y de algunas universidades estadounidenses emitieron un manifiesto en el que recomendaban decididamente proteger estrictamente a las personas de mayor riesgo y permitir que el resto de la sociedad continuase con su actividad laboral, docente y de ocio. Inevitablemente, algunos contraerían el virus, pero sin consecuencias graves, el número de inmunizados crecería progresivamente, los hospitales no se colapsarían, y la sociedad no caería en una recesión irrecuperable. No hay duda de que esta no es la política que aplicaron los chinos –aunque no sabemos si sus cifras son de fiar–, y ningún país occidental hizo caso de tan sabio manifiesto. Reconozco, ya lo dijo Stalin, que un millón de muertos es estadística pero que cada uno es una tragedia para sus seres queridos; sin embargo, aun así, perdonen ustedes –políticos, inmunólogos y supuestos expertos–, salvar vidas puede ser lo *más* importante pero no lo *único* importante. También es importante salvar el futuro de la sociedad, es importante que los niños acudan a la escuela, los jóvenes a la universidad o a la capacitación profesional, es importante no cerrar fábricas y talleres, es importante no estrangular la industria, el comercio, la hostelería, el turismo e, incluso, fíjense bien, la cultura bien entendida. Es importante que preservemos una sociedad donde nuestros hijos tengan posibilidad de sobrevivir y desarrollarse con dignidad. Parece demostrado que serán los jóvenes los más perjudicados en el aspecto laboral tras la pandemia. Que cierre el Museo del Prado es triste, pero que la Seat deje de producir es traumático. Al año mueren aproximadamente 1,3 millones de personas en accidentes de tráfico, un número espeluznante que intentamos reducir con diversas medidas. Pero nadie sensato se atreve a proponer que se deje de circular en absoluto porque la vida de los accidentados sea lo *único* importante. Si suprimiéramos toda circulación rodada las consecuencias serían mucho más devastadoras. Veo a Europa, y quizás a Occidente, convertida en un gigantesco geriátrico donde ancianos temerosos y quisquillosos son atendidos por jóvenes peruanos o filipinos. Mientras nos dedicamos a batallitas políticas, identitarias y a derribar o pintarrajear estatuas de monumentos, Oriente no deja de producir, de enriquecerse y de comprar, a bajo precio, las empresas que aquí se arruinan.

No creo en absoluto que esta paliza atormentante pueda cobrarse un número de muertos parecido al de las dos guerras mundiales. Es un acontecimiento menos trágico pero que tendrá un final mucho más desangelado. El día del armisticio europeo de la Segun-

24

da Guerra Mundial estalló un júbilo indescriptible entre los vencedores; en London o Paris la gente se lanzó a la calle exultante abrazándose y besándose. El histórico beso de Robert Doisneau –fuese espontáneo o trucado– se ha convertido en una imagen icónica del siglo XX, como el de Alfred Eisenstaedt en New York algo después. Nosotros, o los que nos sigan, no disfrutaremos de algo parecido. El fin de la pandemia será gradual y tremendamente lento: ahora ya podéis ir al cole, ahora a un espectáculo guardando las distancias, ahora a la playa, ahora sin mascarilla por la calle... Parece que la aparición de vacunas eficientes ha aportado fundadas esperanzas. Los habituales aguafiestas ponen en duda su viabilidad, argumentan que su coste, transporte, almacenamiento y aplicación son muy complejos y que a algunos pacientes les han provocado ligeras jaquecas, pero incluso los optimistas sabemos que, en el mejor de los casos, la erradicación de la Covid-19 llevará bastantes meses: ¡la consabida autoridad sanitaria ya nos ha amenazado con que el uso de las mortificantes mascarillas se va a extender, como mínimo, todo el 2021!

Me adhiero al tuit de @pppua: «Tengo la teoría de que no vamos a volver a estar emocionalmente bien del todo hasta que acabe todo esto por mucho que nos mediquemos porque hay cosas que solo se curan bailando *Dancing Queen* en un antro oscuro lleno de gente borracha.» Pero la capacidad de adaptación del ser humano es enorme; lo que ayer era cotidiano hoy –tras apenas un año de pandemia– nos parece insólito. Cuando en una película –que vemos en televisión, ya que las salas se van cerrando de forma aleatoria y, si no, debemos soportar la atormentante mascarilla un par de horas– aparecen amigos abrazándose o una docena de personas despreocupadas cenando, bebiendo y no digamos fumando, estamos a punto de exclamar: ¡pero qué hacen esos insensatos! Por mucho que lo analice, la única aportación ventajosa que aprecio en esta pandemia, la única, ha sido la relativa prohibición de las deprimentes comilonas familiares de Navidad.

A lo largo de esta pandemia no han dejado de sorprenderme las divergentes reacciones de mis amigos. Desde los despreocupados que me abrazan, acuden al trabajo, a la dirección de obra, a playas, a bares y restaurantes cuando están abiertos, y solo se ponen la mascarilla cuando prevén la multa, hasta los más temerosos que me rozan el codo, han anulado sus viajes, continúan prácticamente confinados en sus casas, han intentado hacerse el test (infructuosamente si pretenden hacerlo gratis, ya que no están en grupo de riesgo ni tienen síntoma alguno) y dejan cinco días en su esterilizado recibidor todos los envíos que llegan a su hogar –actitud que, como todas las acobardadas, como mínimo me parece poco sexy–. No hay manera de que reconozcamos que vivir no es tan divertido (sobre todo si ya no podemos crear ni solazarnos) y que envejecer es un coñazo. Lo digo a punto de cumplir ochenta años (exactamente la misma edad del filósofo Antonio Escohotado, amigo de juventud y con el que, desde entonces, comparto arriesgadas puestas en cuestión), o sea que estoy en la cúspide del sector de alto riesgo sanitario.

LA VIDA DA PARA MUCHO: SUCINTA Y ANECDÓTICA AUTOBIOGRAFÍA

Este es un libro, o más bien un panfleto, de un superviviente. Desde hace algún tiempo me he dado cuenta de que cuando me solicitan que hable o escriba sobre Salvador Dalí, lo hacen, sobre todo, porque ya no queda nadie vivo que haya disfrutado diez años de estrecha amistad con él. Los dalinianos rusos alucinan cuando explico que conocí tan bien a Gala que incluso me pegaba cuando no le llevaba un regalito: para ellos es como si hubiese intimado con Dostoievski. Cuando insisten en que hable del manido tema de la Gauche Divine y de Bocaccio es por algo parecido, y lo mismo sucede con cada vez más cuestiones del pasado.

Tengo muchos años, he vivido un montón de experiencias y, para las lejanas en el tiempo, tengo muy buena memoria.

Me acuerdo de las calles de Barcelona de forma que quizás solo Joan de Sagarra o Lluís Permanyer pueden compartir: la locomotora de vapor echando humo por la trinchera abierta en el centro de la calle Aragón, el bello apeadero del paseo de Gracia, el taxista cargando carbón vegetal en su gasógeno; el sereno y el vigilante con sus voces y golpes de chuzo haciendo tintinar el manojo de llaves a nuestra llamada de socorro cuando olvidábamos la de nuestro portal (sospecho que en barrios conflictivos de nuestras ciudades algún anciano los añora), el repartidor de hielo en carro tirado por un caballo, cargando las pesadísimas barras sobre un saco doblado al hombro (la nevera de hielo..., solo la espléndida pintura por la que Antoñito López no obtuvo la cátedra nos la recuerda); el basurero con el mismo recurso motriz; el farolero prendiendo farolas de gas con su larga pértiga (todos ellos pasando una ilustrada felicitación de Navidad esperando el aguinaldo).

Me acuerdo de las restricciones esporádicas de agua y de las de luz de todas las tardes (había que hacer los deberes antes o hacerlos a la luz de una vela). De lámparas de carburo, con su característico color azulado y olor a gas acetileno, sobre todo en los quioscos de periódicos o en los puestos de castañeras al atardecer de los fríos otoños. De la cartilla de racionamiento que guardábamos en una carpetita DIN-A5 en el cajón del pan negro. De las matinales de lucha libre en el Price a las que me llevaba un amigo de la familia (experiencia que hoy se consideraría un delito). Todos esperando a que Tarrés *Cabeza de Hierro* se deshiciese de su adversario de un tremendo cabezazo. Tristes circos, también en el Price o bajo una carpa, con fieras algo sarnosas y trapecistas con carreras en las mallas.

Aquellos deprimentes años de posguerra han sido sobradamente analizados, tratados, narrados y filmados. La imagen de que en nuestro país no se pudo respirar hasta la muerte del dictador en 1975 ha quedado canónicamente establecida, sobre todo en el extranjero. Claro que me acuerdo de atemorizantes guardias grises, de la primera huelga de tranvías, de oscuros curas con sotana, de interminables e incomprensibles misas, de la primera, única y deprimente visita a Montserrat (cuando vi el ridículo tamaño de la famosísima *Moreneta* exclamé con mi vozarrón: «Qué pequeñita», para desesperación de mis padres).

Me acuerdo de siniestros ejercicios espirituales y Semanas Santas que para los jóvenes de hoy son difíciles de imaginar. Durante unos días en la radio (la tele quedaba aún muy lejos) solo se escuchaba música sacra, en los cines solo se veían películas sobre la Pasión de Cristo o de historia sagrada, los niños no podíamos jugar, gritar ni cantar, solo se podía salir de casa para visitar monumentos (o sea, acudir a iglesias para ver las imágenes cubiertas con crespones violetas). La norma de no salir de la ciudad era tan estricta que la tarde que a mi padre le apeteció ir a jugar al golf de Sant Cugat y que yo le acompañase, la policía nos detuvo en plena carretera de la Rabassada, exigiendo justificación para huir de Barcelona en un día de tan piadosa reflexión. Mi padre tuvo que enseñar su documentación de médico, afirmar que tenía una urgencia en Sant Cugat y que no podía dejar a su hijito solo en casa. La aparente liberación llegaba el Sábado de Gloria, cuando se armaba un jaleo descomunal, premonitorio de las presentes caceroladas políticas. Salíamos a los balcones a gritar y a aporrear sartenes y otros utensilios metálicos de cocina sin saber muy bien si celebrábamos la resurrección de Cristo o matábamos judíos (no podía entonces imaginar que llegaría un día en que la Semana Santa andaluza me parecería un espectáculo arrebatador y el más erótico del orbe).

Sin embargo, seguramente por pertenecer a una familia que, como escribió mi hermana Esther, había ganado la guerra, pero paradójicamente agnóstica y liberal, también me acuerdo de sucesos menos desalentadores. Múltiples obsequios navideños al pie del pódium desde el que el famoso guardia urbano dirigía el tráfico con garbosa gestualidad. Feria de capones y pavos vivos en plena Rambla de Cataluña. Operarios aireando con largas varas la lana de los colchones en el patio de manzana o en la azotea, la llegada de buques de la Sexta Flota al puerto de Barcelona, los primeros marineros yanquis que veíamos en carne y hueso, igualitos a los del cine, paseando y buscando prostitutas, que estaban locas de contento, por las Ramblas y alrededores. El primer pabellón de los Estados Unidos en la Feria de Muestras, donde repartían leche en polvo, lo que nos parecía una maravilla cuando en bastantes lecherías en pleno Ensanche aún sobrevivían algunas vacas.

Me acuerdo de ir a ver el Barça al Camp de les Corts, los domingos de invierno, después de comer, embutido en el coche de un tío de la familia con tres amigotes suyos que encendían sus habanos con las ventanillas herméticamente cerradas. Naturalmente, llegaba turulato, pero no tanto como para perderme el excelente juego de aquel equipo de las cinco copas y, sobre todo, el estelar juego de Ladislao Kubala (al que Serrat dedicó una canción). Hace muchos años, creo que en la revista *Destino*, fui sometido al manido cuestionario Proust. A la pregunta «mi héroe favorito de la vida real», a la que todos los progres (que ya existían) contestaban «ninguno» (pensando en héroes militares), yo contesté sin dudarlo: «Ladislao Kubala.»

Me acuerdo del Congreso Eucarístico del 52. Una ocasión memorable para la ciudad, aunque para mí no lo fue tanto por una cuestión de fe como por el festival que se montó con ocasión de aquel evento, evento que Eduardo Mendoza describe magistralmente en uno de sus relatos cortos. Aparte de la dichosa plegaria «De rodillas, Señor, ante el Sagrario que guarda cuanto queda de amor y de unidad...», conservo el recuerdo del altar de arquitectura vanguardista erigido en la plaza Pío XII, de la solemne ceremonia de apertura frente a la catedral –que la familia contempló confortablemente, tomando té con pastas, desde el balcón de una suite del Hotel Colón, del que mi tío Luis era arquitecto y en parte propietario– y de la ciudad engalanada. Muchas ventanas y balcones exhibían banderas mitad amarillas, mitad blancas e iluminadas cruces conmemorativas. Recuerdo que yo, apenas con once años, fabriqué una cruz de madera, la pinté de blanco, hice la instalación eléctrica de una serie de portalámparas con bombillitas esmeriladas y la colgué (no recuerdo cómo conseguí pasar el cable eléctrico a través de la ventana) de la tribuna de nuestra casa de la calle

31

Rosellón. El conjunto no pasaría ni por asomo la normativa actual, pero quedó muy chulo.

Me acuerdo de los deliciosos canapés de anchoas con mantequilla del Salón Rosa, antes de entrar al cine Publi a ver documentales de la MGM con voz latinoamericana (bajo velas blancas, el descubrimiento de la penicilina, el del vidrio Securit, velocidad y más velocidad en la eterna lucha del hombre contra el tiempo...) y dibujos de *Tom and Jerry*. La sesión continua que nunca quería que terminase siempre ponía en cuestión que ya hubiésemos llegado en aquella secuencia. El acomodador con linterna esperando la propina y asperjando la sala con oloroso desinfectante durante el descanso, la vendedora de pegajosos Darlins.

Me acuerdo del partido de fútbol que se jugó como despedida en las pistas centrales del Tenis Barcelona de la calle Alfonso XII. La final del segundo Trofeo Conde de Godó ya en Pedralbes; Vic Seixas vs. Tony Trabert; ambos estampando su firma en mi programa del torneo.

Me acuerdo de la primera vez que vi la televisión, naturalmente en estricto blanco y negro, en casa de un amigo rico de mis padres. Pasaban *Investigador submarino,* una serie americana que me pareció apasionante. Por entonces yo leía a Cousteau e incluso buceaba bastante bien.

Me acuerdo de la Costa Brava prácticamente virgen, La Gavina de S'Agaró, con pocos turistas, naturalmente ningún ruso, con Josep Ensesa cenando en el restaurante al que había que asistir encorbatado.

Acudir a la aburrida misa de su encantadora iglesia acompañado por amigos de mis padres (ellos se escaqueaban del sacramento). Jugar al tenis en una de las dos pistas del club que parecía sacado de una serie británica de televisión. Las contrahuellas de la escalinata de acceso totalmente forradas de hiedra. Las enormes glicinias del aparcamiento que aún subsisten. El camino de ronda deliciosamente diseñado por Rafael Masó. Algo más tarde, descubrimos el encantador Hotel Costa Brava de Playa de Aro, adonde acudiríamos repetidos veranos. Los huéspedes, que repetían fielmente cada estío, eran principalmente españoles (entre ellos la familia de Jorge Herralde, chico algo mayor que yo, amigo de mi hermana y editor de este y otros libros míos), con alguna familia francesa y suiza. El hotel estaba, y está, emplazado en un promontorio entre dos playas espléndidas. Siempre acudíamos a la más pequeña, prácticamente desierta, con solo los cuatro toldos de cañizo del propio hotel y el toldo de los Mestre, que se habían construido un chalet de estilo moderno frente a la misma playa. Ella, Jeanette Alexander, una inglesa espectacular que había sido bailarina, que nunca abandonó su chistoso acento británico, fue la primera mujer que vi en bikini. La recuerdo con un bikini muy americano, muy Marilyn, o sea con el *culotte* muy alto, hasta el ombligo, haciendo estiramientos y ejercicios gimnásticos sobre la arena. Los Mestre frecuentaban el vecino hotel, al que aportaban un aire cosmopolita irresistible. Recuerdo perfectamente la noche que se presentaron a cenar, sofisticadísimos, acompañados de Ludmilla

Tchérina, que acababa de protagonizar *Los cuentos de Hoffmann* y estaba en la cumbre de su popularidad.

Me acuerdo de la primera extenuante excursión a Cadaqués, por una serpenteante carretera de tierra. Cuando al fin llegamos teníamos las pestañas blancas del polvo del camino. Pueblo remoto y sin turismo extranjero, aunque se comentaba que el excéntrico pintor Salvador Dalí había llegado hacía poco de Estados Unidos.

Como desaparecidos amantes de sensibilidad camp –Terenci Moix o Vázquez Montalbán–, me acuerdo de Juanita Reina, pero mi mundo fue otro. Escuché a Louis Armstrong en el Windsor de Barcelona, a Édith Piaf en el Olympia, a Georges Brassens en el Bobino, a Ray Charles en el Palau. Recuerdo a los precursores del rock, los lamentos desgarrados de Johnnie Ray, a Fats Domino, el «Rock Around the Clock» de Bill Haley, «The Great Pretender» de los Platters..., todo a través de la Voice of America que escuchábamos en una radio Zenith negra con un mapamundi en el reverso de la tapa. Cuando los anhelados discos –de vinilo, de 78 o 45 revoluciones– llegaban a nuestro país, íbamos a comprarlos a la tienda Manhattan de la Diagonal, a la que se accedía por una puerta acristalada que se abría mágicamente sola; la primera célula fotoeléctrica que vi en mi vida.

Me acuerdo del colegio del padre Ros cuando aún no estaba permitida una escuela propiamente alemana. De la merienda de barrita de pan negro con una piedra con forma de chocolate o de dulce de membrillo (chuches que ahora me encantan). Del tranvía 23 que me llevaba a la primera Deutsche Schule sobre el puente de Vallcarca. De la nueva escuela situada en un magnífico chalet, algo Secession, de la calle Copérnico, donde hoy se asienta un triste geriátrico. De la charcutería de excelentes productos alemanes, Menke, que encontrábamos camino de la parada de metro Muntaner, donde esperábamos ver a las chicas con uniforme (nosotros nunca lo llevamos) del Santa Elizabeth, colegio alemán exclusivamente femenino.

Me acuerdo de quebrar los charcos helados (cuyo recuerdo me hace temer que el cambio climático no sea solo manía de puritanos moralistas) que pisaba, a las siete de la mañana, camino de la estación de Provenza, donde sacaba un billete de grueso cartón que troquelaba el revisor antes de tomar el tren de Sarrià que circulaba a cielo abierto a partir de la plaza Molina. También me acuerdo de las cacatúas –mudas, por mucho que los transeúntes pretendían a gritos hacerlas hablar– del balcón de aquella atemorizante casa pétrea de un arquitecto loco en la esquina del paseo de Gracia.

La escuela era mixta en cuanto a sexo y religión (la única de la ciudad entonces), pero teníamos la obligatoria clase de Formación del Espíritu Nacional, que todos denominábamos clase de política y que, a diferencia de tantos que simulan recordarla traumatizados, nos tomábamos a chirigota. Me acuerdo del día que el profe me echó de clase porque, cuando él afirmó que el Glorioso Movimiento Nacional superaba el conflicto entre partidos, a mí se me escapó en voz alta: «Igual que el comunismo» (demostración de que a aquella tierna edad ya era clarividente y políticamente incorrecto). Católicos y protestantes –evangélicos los llamábamos en la escuela– nos separábamos solo en la clase de religión, chicos y chicas solo en la clase de gimnasia. En los primeros cursos éramos bastante impermeables al atractivo del otro sexo, solo nos preocupaba que las chicas sacaran mejores notas en mates (lo que sucedía con frecuencia). Los sábados: *Tanzstunde*. Los alumnos de la *O Fünf* y las alumnas de la *O Vier* acudíamos a la casa de algún condiscípulo, o condiscípula, a aprender a bailar, desde el vals al foxtrot, a las órdenes de una profesora argentina muy sexy que nos animaba a arrimarnos al bailar el tango. No dejaba de sorprenderme la despedida que dispensaban todos los alumnos alemanes a la madre anfitriona; se cuadraban, daban la mano agradecidos y se oía un ligero taconazo.

Me acuerdo de otra ocasión para bailar: la *Sommerfest,* la fiesta de final de curso, que en nuestro colegio era todo un acontecimiento. Comenzaba a media tarde con la exhibición gimnástica, que era bastante espectacular, lo que quiere decir que yo no participaba. A lo largo del curso, la clase de gimnasia ya había sido lo suficiente dura y exigente tanto para las chicas como para los chicos. En lugar de los suaves ejercicios de gimnasia sueca que se practicaban en otras escuelas, nosotros hacíamos paralelas, saltábamos el plinto y el potro ajustados a alturas inverosímiles, y los chicos incluso hacíamos algo de boxeo. Los alemanes se lo tomaban muy en serio y se juga-

ban el físico; los españoles intentábamos escaquear-
nos y quedarnos al final de la fila. En los juegos de
equipo se practicaba poco el básquet u otras marico-
nadas por el estilo en beneficio del *Völkerball,* que
consistía en atizar un mamporro a un jugador del
equipo contrario con una pesadísima pelota rellena
de trapos. Si el jugador agredido conseguía blocar el
balón, este quedaba en posesión de su equipo y la
agresión cambiaba de bando; si no era así, quedaba
eliminado. Los gallinas aprovechábamos una pelota
que pasaba cerca para alargar la mano y quedar pron-
tamente fuera de la batalla, pero algunos alemanes lu-
chaban, sudorosos y magullados, hasta el final. En la
Sommerfest solo los mejores mostraban a los orgullo-
sos progenitores sus habilidades gimnásticas; nosotros
aplaudíamos. Más adelante se merendaba lo que habían preparado las mismas alumnas. Los *Kuchen* que
traían de casa las niñas alemanas eran particularmente deliciosos, una exhibición de meritoria artesanía
tradicional. Pero lo bueno, bueno de la *Sommerfest*
comenzaba a las nueve y pico de la noche, cuando
por megafonía se conminaba a abandonar la fiesta
a todos los alumnos menores a la *O Fünf,* o sea, al
quinto curso. Nos quedábamos los mayores, los profesores (y profesoras) y algunos padres marchosos. Se
ponía música, se bailaba, se bebía, se fumaba y se li-
gaba. Era excitante bailar con chicas de nuestro propio curso, que, como ya he explicado, no acudían a
las mismas *Tanzstunde,* pero aún lo era mucho más
bailar con alguna profesora, sobre todo la de gimnasia, a la que habíamos visto todo el año dar clase en el

patio en shorts y camiseta ajustada sin sujetador y ahora aparecía con cancán almidonado, muy a lo Olivia Newton-John en *Grease*. Tengo la absoluta seguridad de que bailar con los profesores tenía que ser aún mucho más incitante para las alumnas; bueno, para las alumnas y para los profesores.

Guardo un excelente recuerdo de la Deutsche Schule; lamenté sinceramente que en 1994, con motivo de la celebración del centenario de la escuela, cometieran el imperdonable error de invitar, como eminente exalumno, a Jordi Pujol en vez de a mí, que al menos no he delinquido (ni yo ni mi familia próxima).

A la escuela alemana se asistía solamente de ocho de la mañana a dos del mediodía. Teníamos las tardes libres, lo que fue para mí una puerta abierta a múltiples aficiones, algunas de las cuales se han convertido en cuasi profesiones a lo largo de mi vida. Hace años el teórico de diseño napolitano Vanni Pasca escribió que yo era «arquitecto por formación, diseñador por adaptación y pintor por vocación», frase que tuvo inmediato éxito y que equivocadamente se me atribuyó (aunque es verdad que años más tarde yo la completé con: «y escritor por deseo de ganar amigos»). Pero la dispersión que aún padezco no es nada en comparación con la que tuve en mi adolescencia. Me interesé por muchísimas disciplinas, y en orden creciente de importancia comencé por la química. Me hice regalar un juego de química y realicé bastantes experimentos, alguno —ahora me doy cuenta— bastante peligroso. Más tarde me interesé por la radiofonía. Me apunté al curso por correspondencia de la Escuela Radio

Maymó (al éxito por la práctica), que estaba en la calle Pelayo. Hice varias radios de galena montadas en viejas cajas de puros. Funcionaban muy bien, pero cuando el curso se fue complicando y aparecieron las válvulas fui perdiendo interés. Tuve varios Meccanos (mis hijos ya no pudieron disfrutar y aprender con ellos, ya que hoy han sido tristemente sustituidos por los montajes cerrados, de solución única, de Lego), con los que construí muchos mecanismos que accionaba con una maravillosa máquina de vapor alemana. Estaba suscrito a la revista *Mecánica Popular,* absolutamente yanqui. También hice mis pinitos en aeromodelismo, fabriqué un gran planeador en madera de balsa recubierta con papel de seda que humedecía para que se tensase antes de barnizarlo. Me hice regalar un motor de explosión y construí un avión para el mismo. Pero cuando tanto el espléndido planeador como el avión de hélice se hicieron añicos en sendos aterrizajes forzosos, no me vi con ánimos de reiniciar la tarea.

Me acuerdo de mi fascinación por los ferrocarriles. Tenía una instalación aceptable de trenes en miniatura y fui socio fiel y entusiasta de la Asociación de Aficionados a los Ferrocarriles en Miniatura, temerariamente situada en la calle Escudellers, junto al Barrio Chino de Barcelona. Allí acudía todos los sábados por la tarde para hacer circular mis trenes por la instalación de vías de ancho HO (la de escala 1/87, el menor tamaño tolerado por los especialistas), pero también para ver circular trenes mayores, más serios, los de ancho 0, y sobre todo los de ancho 1, que no había visto en ningún otro lugar. Locomotoras enormes, pesadas y bellísimas; alguna pieza única, toda en latón visto, sin pintar, construida artesanalmente por algún aficionado, que contemplábamos con fervor. Él traía su máquina en un estuche con enorme orgullo, jamás la dejaba apoyada si no era en los raíles; ¡no podía correr el riesgo de dañar las frágiles pestañas de sus ruedas si dejaba la locomotora descuidadamente sobre la mesa! Las pestañas eran frágiles porque estaban reproducidas rigurosamente a escala; no como esos trenes de juguete, el ridículo Märklin, por ejemplo (que era el mío). En los circuitos de la Asociación los trenes circulaban a una velocidad discreta –proporcional a la del tren real–, nunca se permitían las carreras, y un descarrilamiento se consideraba una tragedia, también a escala de un descarrilamiento verídico.

Yo era el de menor edad entre los fieles de la Asociación, y el auténtico culto que profesaban por el ferrocarril me tenía fascinado. Allí no se hablaba de otra cosa que no fuese de trenes, nunca los oí charlar de mujeres, fútbol o política; solo de trenes, fuesen de tamaño natural o en miniatura. Alguno de los asociados más rigurosos y críticos trabajaban profesionalmente en el ferrocarril o eran jubilados de la Renfe, y cuando llegaba el sábado se iban a la asociación a recriminar nuestra falta de rigor y seriedad en tema tan trascendental.

En una ocasión se organizó una excursión, naturalmente en tren, hasta Portbou, para ver el proceso de cambio de anchura entre ruedas por el que los vagones se adaptaban al ancho de vía europeo y podían circular por la red internacional. En aquel entonces ese proceso constituía una novedad, ya que, desde siempre, los pasajeros y la carga debían transbordar de tren al llegar a la frontera. Recuerdo varias cosas pintorescas de aquel viaje. Apenas llegamos a la frontera todos los excursionistas bajaron deprisa del tren y recorrieron los pocos metros que nos separaban del inicio de la red francesa; allí el líder cultural de la expedición exclamó: «Fijaos, ¡el ancho europeo!» Y el grupo permaneció unos minutos en respetuoso silencio mientras contemplaba unos raíles oxidados entre los que crecían malas hierbas. Una experiencia trascendente, de la que me he sentido orgulloso toda la vida, fue trepar al puesto del maquinista de una locomotora de vapor y colaborar en unas cuantas maniobras, sin dejar de hacer sonar el silbato. Durante todo ese viaje en tren los verdaderos aficionados no nos movimos de la plataforma; nos parecía que entrar en el vagón era perderse algo, era como no permanecer en cubierta en una bella travesía náutica. Esos espacios de traspaso entre interior y exterior, tanto en vehículos como en arquitectura, siempre me han parecido encantadores. Recuerdo una imagen mágica, surrealista, de una película donde el gran W. C. Fields viajaba cómodamente sentado en una terraza, muy art déco, de... ¡un avión! Hoy, desgraciadamente, no solo convertido en algo difícil de hacer en un avión, sino también en un coche, autocar, tranvía, *overcraft,* barco turístico de reciente construcción o tren.

Me acuerdo de los años en que me enganché a la fotografía y al cine de super-8 (como Isabel Coixet).

Aún conservo la cámara fotográfica Kodak de fuelle que heredé de mi padre y con la que saqué mis primeras instantáneas 6×9. Con el tiempo me lo fui tomando en serio, llegué a revelar los carretes de negativos y a hacer ampliaciones, que también revelaba en la bañera. Algo más tarde comencé a hacer películas con una Eumig super-8 austríaca y a proyectarlas con un proyector Bell & Howell (desde luego, yo me tomaba mis dispersas aficiones muy en serio, pero mis padres siempre estaban dispuestos a financiarlas). Montaba las películas –introduciendo titulares y mapas– con el único recurso de entonces: verlas en una moviola, cortar los distintos fragmentos, ordenarlos y pegarlos –bien alineados– con acetona. Un trabajazo que, viendo lo que hoy se puede hacer con un iPhone o un modesto ordenador, parece antediluviano, pero así monté varias películas, entre otras algunas de los viajes familiares de Semana Santa.

Me acuerdo de las salidas de Semana Santa por Europa que mi padre comenzó a organizar cuando yo debía de tener unos trece años. Viajes con mis padres, mi hermana, dos primos y tres amigos en coche por Europa. Los jóvenes íbamos en un Seat 1400, los mayores en un Mercedes. Salir de España en aquellos años era algo siempre sospechoso y no resultaba fácil. Obtener el pasaporte, y el salvoconducto si te acercabas a los Pirineos, exigía penosos trámites y certificados de buena conducta, pero el buen nombre que por entonces tenían los Tusquets (con un tío monseñor, nuncio de Su Santidad y perseguidor de masones) logró que en una ocasión un policía viniese personalmente a nuestro domicilio con los tampones y otros utensilios para sacar huellas digitales y allí mismo formalizase los documentos. De todas formas, atravesar la frontera por Le Perthus era algo atemorizante. Siempre desconfiabas de que los temibles guardias civiles te dejasen pasar. De la misma forma que, al regreso, siempre temías que encontrasen algo sospechoso en tu equipaje porque, solo atravesar la frontera, nos dirigíamos al primer quiosco de la acera de enfrente a comprar *L'Humanité* y el *Paris-Hollywood*.

Me acuerdo de la extraordinaria capacidad de mi padre como organizador de viajes (aptitud que he heredado). Todo lo tenía previsto y controlado: dónde cenaríamos y dormiríamos cada noche, los kilómetros que recorreríamos cada jornada, los teleféricos o transbordadores que tomaríamos, los museos que visitaríamos, sus horarios y las obras más destacadas, las carreteras que debíamos coger, los desvíos en los que debíamos estar atentos... Todo esto lo anotaba en un programa que nos suministraba a todos días antes de la partida.

En esos viajes, que resultaron fundamentales en mi formación, recorrimos gran parte de Europa, pero, indefectiblemente, comenzaban y terminaban en Francia. Allí acostumbrábamos a comer más que dignamente en un *routier* cuya calidad era proporcional al número de camiones aparcados frente a su fachada (experiencia absolutamente fagocitada por los deprimentes *restoroutes* actuales). Para cenar procurábamos acudir a un restaurante recomendado en la recién descubierta *Guide Michelin*. En alguna ocasión visitamos el mítico Pic de Valence, el restaurante que desde 1889 representaba el summum de la cocina clásica francesa, allí donde se detenían Dalí y Gala en su anual desplazamiento otoñal de Cadaqués a Paris.

Me acuerdo de mis pinitos en carpintería. Tenía un banco de carpintero y bastantes herramientas, y una cosa me llevó a la otra y comencé a proyectar muebles, o sea a hacer algo de lo que hoy se llamaría «diseño». Para mi dormitorio proyecté, apenas adolescente, un mobiliario «funcional» en madera clara con las vetas teñidas de blanco. También proyecté un mueble para el *pick-up* y para almacenar los discos de 45 y 78 r.p.m. que aún hoy recuerdo interesante. Lo hice con un ebanista, Llopart creo que se llamaba, del vecino barrio de Gràcia, en cuyo taller me pasaba horas enteras contemplando las plantillas de diversos estilos y las ordenadas herramientas colgadas de las paredes, y cómo trabajaba las maderas, la sierra de cinta, la tupí...

Pero la afición más apasionante y perdurable fue y ha continuado siendo la del dibujo y la pintura. De pequeño ya comenzó a engancharme. Me encantaba acudir a la Antigua Casa Teixidor, situada en los bajos de nuestra vivienda de Rambla de Cataluña esquina Mallorca, especializada en artículos de dibujo y pintura. El particular olor a lienzo y esencia de trementina que se respira en estos comercios me sigue enganchando (cuando las mujeres se deprimen acuden al peluquero, cuando me deprimo yo, voy a Casa Piera). En Teixidor compraba lápices, mis primeros pinceles, acuarelas y las *Lecciones de dibujo artístico* de Emilio Freixas, con las que aprendí a dibujar: objetos, árboles, animales, ojos, narices, orejas, cabezas y cuerpos humanos, y estudié las primeras nociones de perspectiva, composición y anatomía.

Me parece que fue Picasso –aunque debería haber sido Miró– quien dijo que todo su esfuerzo de adulto se centraba en llegar a dibujar como un niño. Desde luego, yo fui el caso opuesto: todo mi esfuerzo de niño era dibujar como un adulto (Dalí decía que solo había una cosa más insulsa que los niños: la pintura de los niños). Tanto es así que me viene a la memoria una anécdota que se me había borrado por completo. Sucedió en la Deutsche Schule. En una excursión visitamos un dolmen del que los alumnos tuvimos que hacer un dibujo. Todos se expusieron en clase y el mejor, que resultó ser el mío, mereció como premio una caja de lápices de colores Caran d'Ache. Estaba la mar de ufano cuando al cabo de dos días, a mitad de una clase, me vinieron a comunicar que el director quería verme en su despacho. Esto sucedía muy pocas veces y siempre era por un motivo muy grave. Lógicamente aterrado, acudí a su presencia. El director, un buen hombre, me dijo que el padre de un compañero de clase me había denunciado porque era evidente que aquel dolmen tan poco infantil no lo había dibujado yo sino un adulto de mi familia. *Herr Direktor,* muy compungido, me preguntó si estaría dispuesto a repetir el dibujo allí mismo, en la escuela, a lo que accedí de inmediato. Total, que durante una hora de recreo redibujé el dichoso dolmen y, como a veces –no siempre– sucede, al hacerlo por segunda vez me quedó mejor.

Como desde niño estaba empeñado en ser Michelangelo, a los trece años, la edad mínima aceptada, entré en la Escuela de Artes y Oficios Artísticos en su sucursal del barrio de Gràcia, en la primera planta del edificio del cine Mundial. Las clases eran de siete de la tarde a nueve de la noche. Camino de la Escuela, siempre pasaba por delante de Can Fuster, el edificio de Domènech i Montaner cuya planta baja albergaba entonces un bar muy concurrido en cuyas vidrieras todas las semanas se pintaban, con bastante gracia, cómics alusivos a la liga de fútbol en los que siempre aparecía el barbudo Avi del Barça. Algo más arriba, en la acera izquierda, había una tiendecita que vendía postales. En su escaparate, sugerentes estrellas de cine en blanco y negro provocaban mis incipientes erecciones. Pasé los tres años de estancia en la sucursal de Gràcia dibujando yesos clásicos con carboncillo, lápiz Conté à Paris y difumino. Dos años sentado en un taburete frente a un tablero abatible (cuando terminábamos la clase lo poníamos vertical para que no se llenase de polvo) interpretando relieves, al principio una oreja, una manzana con sus hojas..., más tarde relieves con figuras, esculturas medianas de bulto redondo, un busto romano, un torso griego, un angelote de Donatello... Los buenos, al tercer año, teníamos derecho a un caballete y dibujábamos de pie esculturas grandes en papeles Guarro de un metro por setenta; la *Venus de Milo,* el *Apolo de Belvedere,* la *Venus de Medici,* el *Ilisos de Fidias...* Aunque no se nos explicase nada de estas capitales obras de arte, su belleza nos entraba por los ojos. Había alumnos que se especiali-

zaban en escultura, pero incluso a los que permane-
cíamos en dibujo se nos obligaba a dar un mes de clase de modelado para que fuésemos comprendiendo la
forma en tres dimensiones. Esta superacadémica disciplina, heredada sin duda de L'École des Beaux-Arts,
no me resultó nada coercitiva; me gustó muchísimo,
me lo pasé muy bien. Nunca precisé que se me anima-
se a ser creativo, innovador, original. Como alumno, y
luego como profesor, he llegado al convencimiento
de que el talento artístico no se enseña, que lo único
que se puede transmitir es la técnica –la cocina– y el
entusiasmo por la profesión.

Me acuerdo de que, aparte del aprendizaje artístico, en la sucursal de la Llotja tuve una experiencia
social decisiva. A la escuela, que tenía un coste de
matrícula muy ajustado, acudían hijos de artesanos:
carpinteros, ebanistas, estucadores, vitralistas, joye-
ros..., no en vano la escuela incluía en su nombre los
«oficios artísticos» y hasta hace años mantuvo esa pretensión. Todo esto, la enseñanza académica del arte,
su conveniencia para el dominio de los oficios artísticos, los propios oficios..., es pura arqueología; solo en
el Reino Unido se preserva algo de esta tradición. La
Llotja, donde hoy también se promueve la creatividad, se ha convertido en otra escuela «de diseño».
Pues bien, en aquella sucursal de Gràcia, a la que
acudían adolescentes de familias bastante humildes,
tuve mi primer contacto directo con «el pueblo lla-
no», y la rudeza de algunos, aunque no me traumati-
zase, me impactó. A los trece años, oír contar a mi
compañero de pupitre lo cojonudo que era ir de pu-

tas, la experiencia bestial de una buena mamada –que parecía que la muy guarra te estuviese vaciando la médula espinal– o ver cómo un alumno arrojaba calderilla al cura en mitad del sermoncito que nos impartía una vez a la semana forzosamente tenía que impresionarme.

Acceder a la central de la Llotja, ubicada en los altos del bello edificio, gótico-neoclásico, de la lonja de Barcelona, era un grado. Yo lo hacía en 1957, a los dieciséis años, la edad mínima para acceder a la clase de Dibujo del Natural. Allí el nivel era considerablemente más alto y el contacto con el profesor mucho más íntimo. En clase no se dibujaban gitanas, ancianos u otros folclorismos sino, casi exclusivamente, desnudos; mejor dicho, mujeres desnudas, porque a los hombres les ponían un ridículo bañador (como en los actuales cursillos de Antonio López en la Universidad de Navarra) que yo obviaba en mis dibujos ante la irónica preocupación del profesor, Antonio García Morales, que me advertía de que un día una alumna mojigata nos crearía problemas. No he olvidado otras anécdotas y enseñanzas de García Morales: «Hay que tener la punta del lápiz bien afilada» (básico cuando hacíamos dibujos o croquis pequeños sobre nuestras rodillas) y, si no era así, exclamaba indignado: «Esto es una escoba» y arrojaba el lápiz al suelo. «¿Cómo color lila? ¡Será violeta! Tú sí que eres un lila», y otras divertidas salidas de tono por el estilo. Una anécdota que define perfectamente su carácter es la del metro. Al salir de clase, un grupito de alumnos lo acompañábamos a tomar el Gran Metro en la vecina parada de Correos, que aún no se había convertido en fantasma. Un día, al llegar al andén, un convoy estaba con las puertas abiertas a punto de partir. Mientras todos los jóvenes iniciábamos la carrera, García Morales exclamó: «¿Qué hacéis, locos? ¡Qué falta de dignidad! Ya vendrá otro tren dentro de cinco minutos.» Toda una lección, no solo de pintura. Taleb afirma en *El cisne negro* que «perder el tren solo duele si comenzamos a correr tras él». Lo aprendí de García Morales hace sesenta y cinco años.

En la central el ambiente de trabajo era más serio, menos gamberro, y las groserías, raras. Sin embargo, cuando la legendaria Pepa, modelo ya entrada en años que había posado para afamados pintores, descansaba a media sesión envuelta en su bata, soltaba recuerdos bastante tremendos. Ante el rostro preocupado de García Morales, recordaba frecuentemente a su difunto marido como un hombre de verdad, un macho que la dejaba más que satisfecha tras echar varios polvos sin sacarla. Que en la adolescencia te expliquen estos alardes, sumado a lo que se ve en las películas de Hollywood, es la causa de que te pases la vida preocupado por no dar la talla.

En el primer curso de la Llotja me pusieron un notable; los tres restantes, sobresaliente. Al segundo curso ya dibujé con los buenos, de pie frente a un caballete, en papeles muy grandes, a menudo papel kraft de embalar, a los que nos acercábamos decididos a atacar el dibujo con valentía para de inmediato alejarnos como ágiles esgrimidores para comprobar el efecto de la intervención, convencidos de nuestra momentánea genialidad. Así pasé tres cursos y medio, digo medio porque en el último, el de 1960-1961, ya había ingresado en la Escuela de Arquitectura, comenzaba a apasionarme por ella, y acudía mucho menos a la clase que pasó a impartir Jaume Muxart, ya que García Morales creó un pequeño taller de pintura al óleo. A Muxart, que venía de una cultura menos académica –compañero de Tàpies, Guinovart, Cuixart, Aleu y Tharrats–, enseguida le gustó mi manera de enfocar los dibujos –valoraba no tanto el parecido como la elegancia del encuadre– y, a pesar de mi escasa asistencia, al final del curso me llevé la sorpresa de que me concediese el Primer Premio de Dibujo del Natural.

Me acuerdo de que mi afición a la pintura era tal que los sábados por la tarde, cuando la Llotja estaba cerrada, lógicamente (bueno, no tan lógicamente: aunque ahora indignaría a todos los padres con segunda residencia –y España es el país con más segundas residencias por familia del mundo–, íbamos al colegio todos los sábados por la mañana), acudía al estudio de apuntes del natural del Cercle Artístic de Sant Lluc, situado entonces en la calle del Pi (que Sant Lluc fuese creado como una escisión del Real Círculo Artístico porque un grupo de píos artistas no comulgaban con el espíritu bohemio del modernismo, y que en ese grupo figurase de forma destacada Josep Llimona, uno de los escultores más eróticos de la historia, es una paradoja que debería interesar a los historiadores catalanes enfrascados en otras menudencias). En el estudio de Sant Lluc hacíamos apuntes, de tres a diez minutos, de desnudo; normalmente con mode-

50

los mucho más jóvenes y delgadas que la Pepa, y con el pubis sin depilar (lo que me libró del trauma que vivió Ruskin la noche de bodas al ver horrorizado que Effie Gray, aquel ángel prerrafaelita, tenía vello púbico). En los salones del Cercle trabé amistad con artistas pintorescos y bohemios; muchos de ellos ni siquiera acudían a los estudios, iban allí de tertulia, para dictaminar sobre la trascendencia del arte. Con alguno de los más jóvenes los domingos incluso íbamos al puerto a pintar acuarelas, acuarelas que a mí nunca me quedaban bien.

Me acuerdo de un momento trascendente de mi pubertad: sentado en los Baños Ventura frente a la playa de Lloret de Mar. Acababa de bajar del autobús de la Sarfa que me había llevado hasta allí. Caía la tarde, frescor de anochecer, cubalibre helado, sonaba «The Great Pretender» de los Platters (pieza que aún hoy me emociona, incluida la versión del excelso Freddie Mercury), inicio del verano, final de junio, época excitante en que las chicas comienzan a desvestirse. Acababa de aprobar los exámenes finales de bachillerato y nuestros padres me habían permitido pasar un par de semanas en ese pueblo lleno de legendarios peligros para la juventud, invitado en casa de mis descarriadas primas Victoria y Elena. Hacía tiempo que insistían en esa invitación, pero mis padres no lo veían claro. La fama escandalosa de nuestras primas y del pueblo les retraía. Tuve que sacar notas excelentes que me daban acceso a la universidad para que al fin accedieran. Tenía la clara y arrebatadora sensación de que algo nuevo estaba llegando a mi vida. En la casa de mis primas no se nos controlaba absolutamente nada, ni la hora de levantarse, ni la de acostarse, ni con quién salíamos, ni adónde íbamos. Las leyendas urbanas sobre el pueblo eran deslumbrantes. Extranjeras de cuerpos soberbios tendían su voluptuosa desnudez sobre barras de bar y, mientras las rociaban con champagne, los clientes las iban lamiendo.

Naturalmente, Lloret no fue exactamente así, pero no dejó de ser un shock. Cada noche y muchas tardes rock 'n' roll en los Baños Ventura: Elvis, Fats Domino, Paul Anka, Chuck Berry... Nuestras primas y otras amigas planchando sus cancanes y crepándose el pelo para ir a bailar mientras no dejaban de hablar de chicos. Nínfulas arrebatadas que a los primeros acordes del «Buona Sera» de Louis Prima dejaban sus zapatitos de tacón al borde de la pista para ponerse a rockear sobre las puntitas de sus pies (nunca a ras de suelo). Concursos de rock, aprendimos a voltear a las chicas sobre la arena de la playa, luchábamos por emparejarnos con las que mejor bailaban, aunque todos sabíamos que acabaría venciendo Pitín. Las primeras extranjeras, besadas, magreadas, casi folladas por sus parejas en los oscuros portales. Borracheras iniciáticas, vómitos al alba. Amigotes desinhibidos, gamberros para los que pasar una noche en el cuartelillo constituía un honor. Robábamos Biscúters de alquiler y nos íbamos a Tossa por una endiablada carretera de curvas en lo alto de acantilados, aterrorizando a los conductores que adelantábamos por la derecha. Amigotes que en cierto modo me fascinaban (como Gassman fascina a Trintignant en *Il sorpasso,* la mejor película que he visto en la vida). Amigotes algo mayores que aún hacían como que estudiaban cuarto de bachillerato cuando yo ya estaba a punto de entrar en la universidad. «Oscar se tira a los libros», exclamaban entre carcajadas, y tenían cierta razón, aunque albergaba serias dudas de que ellos se tirasen a muchas —al menos nacionales y sin pagar—, porque esas arriesgadas locuras no incluían follar con amigas. Nuestras chicas eran alegres, desenfadadas, alocadas, muchas monísimas, algunas calientapollas..., pero no follaban (en eso sí cambiaría, mucho y en poco tiempo, nuestro país). Entre ellas, aunque algo distante en su villa en lo alto del monte, vivía la espectacular Elsa Brendle. Era mucho más seria y estirada, menos divertida, pero una rubia y contundente belleza germánica, como deberían ser las sopranos que pretenden representar valkirias. Durante años fui tras ella y al final conseguí que me hiciese un ligero y pasajero caso. Con Peter Loewe subimos un día a jugar un mixto en su pista de tenis y bañarnos en su piscina. Elsa, aunque no lo precisaba en absoluto, había montado un negocio de cría de pollos que vendía a los hoteles de la localidad (ahora me pregunto si su familia sería judía). La estampa de Elsa en sucintos y blancos shorts y ajustada T-shirt también blanca persiguiendo pollos por el gallinero no se me olvidará jamás. *Petaa* y yo no conseguimos coger ninguno, pero Elsa los agarraba al vuelo por el cuello y allí mismo los degollaba y los sostenía con mano férrea sobre un cubo mientras se desangraban agitando histéricamente las alas. La sangre salpicaba la dorada piel de la diosa y sus albas prendas. La contemplábamos petrificados: pura premonición de Helmut Newton, puro Bataille.

Me acuerdo de cuando, dos años más tarde, llegó el apasionante ingreso en la Escuela Superior de Arquitectura tras un par de rigurosísimos cursos comunes de Ciencias. Los estudiantes de arquitectura ocupábamos el ático de la Universidad Central que compartíamos con alumnos de Ciencias y de Filosofía y Letras. En el bar del sótano nos encontrábamos todos, el auténtico sentido de «Universidad» hoy desaparecido en todo el mundo y, particularmente, en nuestro país. Aparte de haber aprobado los dos cursos comunes de Ciencias, para entrar en Arquitectura había que dibujar en una lámina grande una escultura clásica griega, y un lavado o aguada (que a Dalí, admirado y sorprendido de que aún se hiciese, le parecía la excelencia de la disciplina pictórica), en veladuras de auténtica tinta china en pastilla diluida en agua destilada. Además, en dibujo lineal, un orden clásico (normalmente jónico, cuya espiral se las traía). Muchos alumnos con talento se atascaban en el dibujo de la estatua y pasaban varios años para ingresar. Si todo iba bien, eran dos años de comunes y cinco de carrera, total siete.

Me acuerdo de los tres profesores notables que tuve en la, en aquellos años, anquilosada Escuela. El primero fue Canosa, el terrible catedrático de Geometría Descriptiva, la asignatura más determinante de la carrera, la que te hacía ver, entender y representar el espacio, la que presagiaba qué alumnos serían grandes arquitectos. En dos años, sin libro de referencia, pasaba de dibujar, con admirable precisión, con tiza en la pizarra, en diédrico, la planta y el alzado de la intersección de un cono con un cilindro, a la perspectiva cónica de un arco de triunfo romano con proyección de sombras. Y aún le quedaba tiempo para, agotado el programa del curso, adentrarse en la construcción geométrica de los relojes de sol.

El segundo maestro memorable fue el catedrático de estructuras Francesc Bassó. Excelente arquitecto que había de construir, junto a Joaquim Gili, obras notables –como la sede de la Editorial Gustavo Gili– pero que ya había sido el estructurista de obras muy comprometidas como el Nou Camp del Barça. Excelente profesor y excelente persona con la que, en el futuro, colaboramos en el fracasado proyecto de la Facultad de Medicina. Basta una anécdota para demostrar su amplia experiencia profesional y su ausencia de engolamiento profesoral. En el curso anterior se nos había explicado el análisis químico del cemento. Teóricamente, debíamos desconfiar del cemento que llegaba a la obra y estábamos obligados a iniciar un proceloso análisis químico del mismo para garantizar su calidad, procedimiento que jamás aprendimos. En aquel tiempo y en aquella Escuela se suponía que el arquitecto debía dominar todas las disciplinas, tanto artísticas como científicas. Cuando preguntamos sobre el particular a Bassó, que, a diferencia del profesor antes citado, tenía el culo pelado de dirigir obras, nos contestó: «Lo mejor es que el hormigón llegue a tiempo a la obra en un camión de cuba giratoria de un suministrador de garantía.»

Pero sin duda el profesor que cambió mi concepción no solo de la arquitectura, sino de la creación artística e incluso de la vida, fue Federico Correa; él y Salvador Dalí han sido mis dos maestros más determinantes. En la clase inaugural del curso de composición arquitectónica que iba a alterar el rumbo de algunos de nosotros, Federico dio un pequeño discurso explicando cómo había proyectado enfocarlo. Hay que hacer un esfuerzo de memoria, o de imaginación los jóvenes, para entender cómo sorprendía en 1960, en aquella escuela esclerotizada, oír hablar de Le Corbusier, de Mies, de Ernesto Rogers, de los peligros del formalismo, de la belleza de la lógica y de lo equivocado que era consultar en revistas o libros soluciones anteriores a problemas parecidos. En aquella charla de apertura, aquel insólito dandy, con su abrigo de pelo de camello y sus guantes de cabritilla, allí en la gran aula de la Universidad Central, que llamábamos, con toda propiedad, «la Siberia», nos advirtió que dibujar bien no era imprescindible para ser un gran proyectista, y añadió tan tranquilo: «Os lo puedo decir con conocimiento de causa, ya que yo dibujo muy bien.» Tras tres años en su estudio, Federico había de convertirse en una referencia para toda mi vida. Fui invitado con mis ligues de entonces a su casa de Cadaqués, viajamos juntos a ver arquitecturas (eso sí, solo arquitecturas) de Milano, Wien, Berlin (incluyendo el de la DRA), New York, Rio, Brasilia, São Paulo, London y las mansiones señoriales del sur de Inglaterra.

En 1964 acabé la carrera en la Escuela Superior de Arquitectura de Barcelona junto con unos treinta compañeros y una compañera. En la Escuela de Madrid debían graduarse unos cuantos más, pero era la otra única escuela de España. Los alumnos provenientes de otras partes del país tenían que desplazarse forzosamente a una de estas dos ciudades. No sé por qué motivo (quizás por la proximidad del mar) los alumnos de las Islas Canarias acudían a Barcelona. Con alguno de ellos hice muy buenas migas y hemos conservado la amistad durante años. En las dos escuelas existentes entonces debíamos graduarnos unos ochenta alumnos por curso; en las 31 escuelas actuales, 7 solo en Barcelona, se gradúan unos 2.800. Como tengo la impresión de que no se construyen más metros cuadrados hoy que hace medio siglo, tocan muy pocos a cada uno de los 60.000 arquitectos colegiados actuales. Tenemos 1,25 arquitectos por mil habitantes, la tasa más alta de Europa. Cada vez que me toca conferenciar frente a estudiantes o recién graduados solo se me ocurre decirles que son unos estudios –técnicos, artísticos y humanísticos– que capacitan para muchas actividades, pero que van a construir muy poco y en muy malas condiciones. Porque la profesión en poco más de medio siglo ha sufrido un cambio radical. Nosotros aún vivimos los estertores de una admirada y honorable actividad. Grandes arquitectos como Sáenz de Oiza, Carvajal, Coderch o Mitjans eran alguien y se hacían respetar. Cuando llegaban a una obra, el personal se cuadraba, y cuando empuñaban la estilográfica para escribir algo en el libro de órdenes, el encargado de obra temblaba. Nosotros aún conservábamos algo de ese prestigio, en las visitas de obra conversábamos con aparejadores y con jefes de obra, profesionales con larga experiencia de los que aprendimos muchísimo. Hoy el arquitecto es recibido con franca aversión y sus conversaciones –más bien discusiones– son con abogados, inspectores municipales, burócratas de las compañías suministradoras o de compañías de seguros. El único que defiende el edificio es él, él contra el mundo. Excepto una docena de vedetes mundiales que viajan en el autobús de las estrellas y que pueden imponer sus excentricidades (aunque hoy menos que hace unos años), los arquitectos son unos mandaos de los que se espera que redacten un proyecto económico que cumpla con el montón de ordenanzas, a menudo incompatibles, y que no incordien.

Tras esta nostálgica pataleta, regreso a mi admirado maestro, Federico Correa. Durante varios veranos las fiestas en su casa de Cadaqués fueron un acontecimiento memorable. La más sonada se celebraba, sin falta, el 18 de julio: la fecha se justificaba por ser el santo del anfitrión –aunque a Federico le divertía sugerir que conmemoraba el Alzamiento franquista– y, por consiguiente, siempre caía en día festivo. A uno de esos 18 de julio de finales de los sesenta, Federico, que en los días previos se había paseado por Cadaqués invitando a todos aquellos transeúntes que le caían en gracia, decidió invitar a Salvador Dalí. Federico, al igual que todos los progres, no sentía particular simpatía por el pintor, pero su liberal esnobismo le aconsejó invitar a los más atractivos para garantizar el éxito de la fiesta, y Dalí, sin duda, era un invitado apetecible. Apetecible y audaz porque, aun sabiendo que iba a jugar en campo contrario, decidió aceptar la invitación y apareció junto a Amanda, ambos muy elegantes, al inicio de la fiesta, ya que su férrea disciplina horaria le obligaba a acostarse temprano. Allí le conocí, me lo presentó Federico; Salvador dijo que ya había oído hablar de mí (aunque yo solo era un arquitecto incipiente y un aprendiz de editor) y me invitó a visitarlo con Beatriz a Port Lligat la tarde siguiente. Aunque, por razones políticas, no éramos en absoluto dalinianos, su amabilidad nos desarmó y aceptamos la invitación sin dudarlo.

Al día siguiente ya nos tenéis a las siete en punto de la tarde llamando a la puerta de la casa daliniana de Port Lligat. Ya conocíamos el exterior de la extraña construcción levantada por Dalí a lo largo de los años —desde 1932 hasta entonces no había dejado de realizar adiciones—, el gran huevo sobre la cubierta del palomar, la mágica imagen de un gran ciprés surgiendo del interior del casco de una barca de pesca como si fuese su auténtica arboladura. Ahora, frente a la puerta principal, al observar la atractiva pintura que la recubre recordamos que cada año Dalí pide a los pescadores que, cuando terminen de pintar sus barcas, sequen sus pinceles restregándolos libremente en las puertas de la casa para crear así los mejores cuadros abstractos de la historia de la pintura. Puerta discreta, estrecha, mínima; aparece una sirvienta con delantal y cofia, todo de color rosa, decimos que el Maestro nos espera, ella asiente y discretamente nos hace pasar. En el minúsculo recibidor, un inmenso oso polar disecado, con multitud de collares de cuentas y medallas, sirve de lámpara, portacartas y paragüero; en su zarpa derecha sostiene en alto una nasa luminosa, a la altura de su sexo un aro metálico recoge numerosos bastones, algunos preciosos, y un ostentoso arcabuz que creo reconocer de alguna pintura daliniana. Detrás, un búho cuya mirada se reproduce en los dibujos de unas grandes alas de mariposa enmarcadas a su vera. Muebles modernistas mezclados con una mesa sostenida por cuernos de toro entrelazados. El famoso sofá que reproduce la boca de Mae West, con el que tanto me familiarizaría años más tarde, tapizado en un horrible estampado de hojarasca verde. Una falsa piel de tigre como alfombra. Una reproducción de *La tempestà* de Giorgione y un póster que reproduce una pintura donde una mujer desnuda voluptuosamente reclinada es asaltada por dos tigres (este cuadro, *Sueño causado por el vuelo de una abeja alrededor de una granada un segundo antes de despertar,* lo reinterpretaría yo en la muestra del Palazzo Grassi, muchos años más tarde, en una de mis mejores ocurrencias). Dejamos el comedor a nuestra izquierda, atravesamos la biblioteca y por un intrincado laberinto de enjalbegados pasadizos excavados en la roca nos encaminamos por empinadas escaleritas hacia el patio. (Casi todas las horas que pasaré en esa casa serán en el patio, la piscina o el taller del artista. Aunque tendré ocasión de visitar el resto de las estancias, casi nunca nos sentaremos a charlar en ninguna de ellas, y todo lo alegres que me parecerán los luminosos espacios exteriores, me parecerán lóbregos, agobiantes, húmedos y oscuros los interiores; claro que es el mismo efecto que me producen todos los interiores de esas masías que los burgueses catalanes se han empeñado en reinventar en el Empordà, como si no estuviese claro cuáles son las masías dignas de Cataluña, que ninguna está en esta zona, bellísima pero con un clima que, como asegura Pla, ha hecho imposible enriquecerse con la agricultura.)

El patio es la parte más bella de la mansión. Las rocas y muros que lo rodean totalmente blanqueados con cal, el suelo pavimentado con grandes losas de pizarra de Cadaqués se rasga para que enraícen plateados olivos, dos de ellos en tazas enormes que hacen de jardinera, rústicas sillas de enea, algunas atrevidamente inclinadas hacia atrás y apoyadas en seis patas, todo tan austero, tan esencial..., Dalí insistirá en que la bella contención del lugar se ha preservado por la radical oposición de Gala a que él lo contamine con sus abarrocadas chifladuras, y es verdad que el friso de relieves publicitarios de Roca, lavabos luminosos que Dalí prende con infantil alegría al anochecer, es el único elemento kitsch del conjunto y no consigue romper su delicada armonía.

Allí nos recibe Dalí la primera tarde. Me resulta difícil recordar con detalle esa primera visita; inevitablemente los recuerdos se confunden con los de las innumerables visitas posteriores. Sin embargo, recuerdo que Dalí nos recibe con mucha amabilidad, se acerca y hace como que nos da un beso en la mejilla, aunque en realidad el beso se queda en el aire a pocos centímetros pero sin tocarnos (la aversión del Maestro al contacto físico habría resultado ejemplar en la actual pandemia del coronavirus). No recuerdo si al llegar ya hay otros invitados, sí recuerdo que otros llegarán a lo largo de la tarde, que Dalí realizará las presentaciones con su habitual inventiva: «Aquí Louis XIV, aquí Cástor y Pólux, aquí san Sebastián, aquí Ginesta...»

Amanda está, lo que quiere decir que ese día no aparecerá Gala. Dalí hace traer una bandeja llena de copas de champagne (entonces se llamaba así) rosado catalán, él introduce el dedo índice en una de ellas y lo chupa, es todo el alcohol que le veré tomar nunca. Consciente de la relativa calidad del bebercio nos propone si preferimos un whisky o un gin tonic, invitación que obviamente rehusamos. Hay gente guapa y algunos, pocos, interesantes. Dalí centra la conversación, pero se le ve distendido, nada afectado, muy distinto al que aparece en los medios. Todo lo que dice es sugerente, puedes estar de acuerdo o no –reconozco que cuando habla de arte yo estoy bastante de acuerdo–, pero siempre hace pensar, es original, brillante, tremendamente divertido. Beatriz y yo nos lo estamos pasando muy bien, él se da cuenta de nuestro interés, de que no estamos allí para hacerle la pelota o para pedirle un autógrafo, de que nos atrevemos a llevarle la contraria. Él se da cuenta y, cuando pasadas las nueve se levanta para indicarles a todos que la hora de visita ha terminado, nos coge aparte y nos invita a volver la tarde siguiente.

Serían muchas, muchas, las tardes en que volvería a aquella casa, primero con Beatriz, después también con Anna, a la que Salvador inmediatamente denominó Ginesta, como hacía con muchas guapas sobre todo rubias; aunque Anna nunca se tiñó de rubio sino de pelirroja, en la época más hippy con jena, después con tintes más evolucionados. Lo de rebautizar a los amigos, y sobre todo a las amigas, era típico de Dalí. A todo el mundo le encontraba un parecido, un motivo, que justificaba el mote.

A partir de entonces no solo nos encontramos en Port Lligat, lo hicimos en Barcelona –en el Ritz, en el Scala, en la exposición antológica de Fortuny en el Museo de Arte Moderno del Parc de la Ciutadella, en el restaurante Via Veneto, en un teatro del Paralelo viendo zarzuela–, lo hicimos repetidas Navidades en Paris –en la suite del Meurice, en Maxim's, en La Serre–, lo hicimos varias Pascuas en New York –en el Saint Regis, en el Four Seasons, en su galerista–, lo hicimos un agosto en Elx para asistir a la inolvidable representación del Misteri.

A mediados de los setenta llegué a colaborar con el Maestro en el proyecto y realización de la sala Mae West de su museo de Figueres, en el sofá Dalilips allí situado y en la edición del fascinante libro *El mito trágico de «El Ángelus» de Millet*. En fin, hasta su confinamiento en Púbol por el agravamiento de su enfermedad disfruté de unos diez años de amistad y colaboración apasionantes.

Me acuerdo de otro acceso determinante al mundo de los artistas; el restaurante que todos llamábamos La Mariona, nombre de la hija del dueño del restaurante Ca l'Estevet, y el alma del local, al menos para artistas y otros bohemios. Esta casa de comidas y su comunitaria mesa del fondo merecería un libro entero; si estuviese en Paris sin duda lo tendría ya. Me llevó allí por primera vez Oriol Maspons, cuando yo estaba comenzando la carrera, y fue una auténtica revelación. En la mesa del fondo, encajada en un espacio minúsculo que daba acceso al almacén, podía sentarse libremente quien quisiese. Allí conocí al grupo de anárquicos personajes que me abrieron un mundo.

Personajes ligados al flamenco, que promocionaban a Carmen Amaya, estaban descubriendo a La Chunga y participaban en el rodaje de *Los Tarantos,* como el inefable Paco Revés –atípico marchante de arte, a ratos libres–, o Alberto Puig Palau, el tío Alberto de Joan Manuel Serrat, elegante mecenas de las artes, propietario de la mansión Mas Juny en La Fosca –el lugar más pobre y más lujoso de Europa, decía Dalí–, allí donde Salvador había pasado tantos momentos con los Sert, donde la puerta inclinada de una barraca aún recuerda su estancia, y donde los Sert habían esperado inútilmente la llegada del príncipe Alexis Mdivani, hermano de Misia, y de la baronesa Von Thyssen, que se estrellarían en su Rolls-Royce entre Figueres y Palamós.

Personajes ligados al mundo de la imagen, como los fotógrafos Català Roca, Gianni Ruggiero, Maspons o Xavier Miserachs y su ayudante Colita (otra apasionada del flamenco y de los gitanos), y las modelos Teresa Gimpera (rubia despampanante descubierta hacía poco por Leopoldo Pomés), Eve Field Marx (alocadísima inglesa, biznieta de Karl Marx), Susan Holmquist (danesa que Maspons inmortalizó en su Innocenti descapotable para la célebre cubierta de *Últimas tardes con Teresa* de Juan Marsé), o Elsa Peretti, espigada italiana de buenísima familia que siempre llevaba una botella de blanco en su capazo ibicenco, a la que también Maspons haría unas fotos espléndidas en los jardines de Dalí, y que más adelante diseñaría joyas preciosas, que acabaría comercializando Tiffany's.

Artistas como el escultor Xavier Corberó, acompañado de alguna mujer despampanante, como Analía Gadé o la misma Peretti, y, si extrañamente esto no sucedía, podía exclamar de pronto: «Me voy a follar», y al cabo de media hora volvía a la mesa. El simpatiquísimo dibujante Marcel Bergés, el también dibujante y decorador Xavier Regàs, los pintores Guinovart y el siempre peligrosamente achispado Viola. Gente de lo que luego se denominaría los *media,* como Alberto Oliveras —entonces un gurú de la radio, *Ustedes son formidables—,* y gente del mundo editorial, como Beatriz de Moura.

Beatriz era una vital y escandalosa carioca que salía con Xavier Miserachs y que bailaba estupendamente la samba pero también el rock. Había tenido el privilegio de acudir al mítico primer concierto de Bill Haley en el Palacio de los Deportes (el segundo fue prohibido). Era atractiva, desinhibida, inconformista, cosmopolita, leída, políglota, y de buena familia, hija del cónsul de Brasil en nuestra ciudad, y, claro, me enamoré de ella y acabaría siendo mi primera mujer.

En La Mariona no fue solamente la personalidad e indiscutible categoría de los comensales lo que me sedujo, sino el ambiente escandaloso, absolutamente irrespetuoso con lo que hoy denominaríamos corrección política. Allí se empleaba el lenguaje más viperino, se hacían las bromas más procaces, no se respetaba nada; únicamente en los desmadrados y por mí idolatrados Monty Python he vuelto a encontrar una desinhibición parecida. Como es natural, siendo yo un niño de familia bien y aplicado alumno de primer curso de arquitectura, el ambiente de descontrolada locura de aquella mesa me deslumbró: como cualquier viejo, pienso que aquello no se ha repetido, que hoy, al menos en Barcelona, es imposible encontrar algo parecido.

A esta mesa comunitaria vino a sentarse una noche, sola y absolutamente desconocida por todos, una mujer espléndida enfundada en un ajustadísimo y brillante mono blanco, con la cremallera estratégicamente abierta para descubrir, generosa, sus espléndidas tetas. Con aire misterioso, hablaba muy poco, pero, cuando lo hacía, era con una voz atractiva, gravísima, profunda, viril. A medianoche pedía su cuenta, la pagaba y se marchaba con rumbo desconocido. Desconocido hasta que averiguamos que se iba al New York, un cabaret canalla del Barrio Chino, donde ella actuaba como *stripteaseuse,* bajo el nombre (muy Bernardin) de Peki d'Oslo. Bienvenido Ferrer, el propietario del local que la había contratado, aseguraba que no había nacido en Paris, ni en Hong Kong, ni siquiera –como murmuraban algunas lenguas desmitificadoras– en Perpignan, sino en Vietnam, al menos eso se deducía de su pasaporte, donde figuraba con el nombre de Alain Tapp.

Me acuerdo de las repetidas veces que fuimos a verla. Su show era impagable: salía como una bruja bellísima, como la madrastra de Blancanieves, dime, espejito mágico, envuelta en una capa con capucha, e iniciaba un soberbio y lento striptease bajo los acordes del «Adagio de Albinoni»; cuando se encontraba prácticamente desnuda emprendía un desmadrado polvo con un pequeño muñequito de trapo –ella agitándose enloquecida sobre el muñequito hasta llegar al orgasmo, tras el cual, fría y cruel, como mantis religiosa daliniana, procedía a liquidar al macho en un rito vudú, clavando meticulosamente largas agujas en el muñequito. Al final del número la sala quedaba enmudecida, solo Marcelet Bergés, Leopoldo Pomés, su mujer Karin Leiz, Beatriz y yo aplaudíamos exaltados en pie, el resto del público, acostumbrado a las procacidades más marranas, estaba petrificado, aturdido, sobrepasado por lo que acababa de ver. Leopoldo (con el que compartí una admiración infinita por la belleza femenina, un voyerismo que nos llevó a multitud de locales *canailles,* y un exaltado entusiasmo por el Crazy Horse en la época dorada de Bernardin) consiguió que Peki posase para él y le hizo unas fotos fantásticas que reflejan lo felina, lo pantera negra, lo *cat people,* que era entonces. Años más tarde encontré a Peki transformada en Amanda Lear, la fascinante acompañante de Salvador Dalí. Cuando le expresé mi entusiasmo por su antigua profesión, aseguró que me equivocaba, que ella no fue jamás la que yo recordaba con tanta admiración.

Me acuerdo de que el primer verano tras mi entrada en la universidad no tenía aún que malgastarlo en las milicias universitarias del Campamento Militar de Los Castillejos. Siempre había tenido la ilusión de acudir a un curso de pintura en Italia, y un día vi en un tablón de anuncios de la Escuela de Arquitectura (o de la Llotja, o del Cercle de Sant Lluc, ¡con lo fácil que sería hoy consultarlo en Google!) un cartelito donde se anunciaban los cursos de verano de la Accademia di Belle Arti Pietro Vannucci di Perugia. Sin dudarlo un momento decidí acudir entusiasmado y se lo comuniqué a mis padres. Entonces comenzó una sucesión de incoherencias típica de ellos.

La primera idea pintoresca fue el proyecto del viaje de ida. Se les ocurrió que sería muy atractivo, además de económico, que –por mediación de la agencia de aduanas de un amigo de mi madre– embarcarse en un buque mercante con destino a Genova. Embarcar me fascina, el momento de desatracar me parece siempre el inicio de una aventura. Pero la travesía en un mercante en el que los únicos pasajeros éramos yo y tres beatniks norteamericanos que viajaban en cubierta tocando la guitarra y fumando porros sí fue una aventura de verdad. La travesía duró un día y una noche entera. Pasé una noche muy divertida, con una inmersión radical en la lengua inglesa, pero dormí muy poco. De buena mañana llegamos al puerto de Genova y ya me veis cargado con mi maleta, el caballete y las cajas de pinturas, desembarcando en un muelle de carga del inmenso puerto. No sé cómo llegué a la estación central y busqué un tren para Perugia. Yo entonces no hablaba una palabra de italiano, y aunque los españoles estemos convencidos de que es una lengua que nos resulta muy fácil, me comencé a escamar cuando pretendí pedir un bocadillo de jamón (¿jamón?, ¿jambon?, ¿pernil?, ¿ham?; no señor: *prosciutto)* en el bar de la estación. Resultó que para ir de Genova a Perugia había que hacer dos transbordos, partir al anochecer y pasar la noche viajando. No me desesperé, conseguí mi bocadillo de *prosciutto,* dejé en la consigna de la estación mi engorroso equipaje, compré un periódico, averigüé que en un cine pasaban una película de Brigitte Bardot y hacia allá me fui en tranvía. Resultó que el cine estaba en el extrarradio de la ciudad, pero tampoco tenía otra cosa que hacer en todo el día.

Al anochecer tomé el primer convoy. Recuerdo aquel inacabable viaje como una pesadilla. En alguno de los trayectos no encontré asiento y tuve que acomodarme en el suelo del pasillo. Como la noche anterior casi no había dormido, me caía de sueño, pero no podía dormirme por temor a pasarme la estación donde debía realizar el siguiente transbordo. Al amanecer llegué por fin a la estación de Perugia, tan agotado que me tumbé en un banco del andén a echar una cabezada, tomando la precaución de atarme el equipaje con el cinturón por miedo a que me lo robaran. Cuando desperté me dirigí a la Accademia, donde fui amablemente recibido por el director, quien me informó de que al no estar su centro asociado a la

Università per Stranieri sus alumnos no teníamos derecho a residir en el colegio mayor de la misma, pero que no me preocupase porque había varias casas particulares dispuestas a alquilar habitaciones a los estudiantes. Solicité dejar el equipaje en la escuela y podéis imaginarme recorriendo la ciudad en busca de alojamiento. Tuve suerte y pronto encontré una familia felliniana dispuesta a alquilarme una habitación decente a un precio razonable. La estancia con aquella familia me resultó instructiva y agradable; me daban total libertad, no se metían con mis horarios y por las noches, mientras cenábamos, veíamos juntos en el televisor de la cocina los Juegos Olímpicos que aquel verano de 1960 se celebraron en Roma. Mis padres hicieron un cálculo absolutamente erróneo del dinero que iba a necesitar. En cuanto supe lo que me costaría la habitación y las comidas me di cuenta de que la suma de que disponía no me iba a alcanzar. Así se lo hice saber por carta (¡qué lento era comunicarse entonces!) a los pocos días de llegar. Mi madre me contestó recomendándome llevar un estricto control de los gastos y asegurando que, cuando la situación se volviese desesperada, ya me enviarían dinero. En vista del escaso entusiasmo mostrado, y picado por algo de amor propio, decidí subsistir con lo que tenía. Mis únicos gastos consistieron en comer en una *trattoria* cercana a la Accademia que costaba muy pocas liras. Como en todas las *trattorie*, existía la buena costumbre de pedir un primero (siempre pasta), cuando lo habías terminado escogías el segundo de entre los pocos que cantaban (raramente carne) y luego el postre (que siempre consistía en «*uva, pesca o pera*»).

A la Accademia acudían unos pocos niños bien de la zona con el exclusivo propósito de ligar con las extranjeras que estudiaban allí. Dibujaban pésimamente, pero eran los típicos italianos simpáticos y ligones con los que muy pronto congenié. Conducían Alfas deportivos descapotables y, como les sobraban chicas, a veces, para disimular, me invitaban a fiestas en sus casas o los acompañaba a comer. Naturalmente, frecuentaban restaurantes que estaban fuera de mis posibilidades económicas, pero lo comprendían y me invitaban: un penoso absurdo típico del despiste de mi familia.

Cuando, tras un mes y medio, mi madre apareció en Roma, donde teníamos previsto pasar unos días antes de regresar a casa, y vio lo delgado que estaba, se quedó horrorizada. Estuvimos en un excelente hotel, fuimos a buenos restaurantes y volvimos a Barcelona desde Genova no en un carguero sino en primera clase del *Giulio Cesare,* uno de los grandes transatlánticos italianos que se dirigía a América del Sur lleno de millonetis que regresaban a casa.

La Università per Stranieri di Perugia tenía unos cursos de verano muy prestigiosos y la ciudad estaba llena de estudiantes, sobre todo europeos, que le daban un aire cosmopolita muy sugerente. Particularmente animados eran los bailes que la Università organizaba las noches de los sábados. Ante el justificado temor a que se llenasen de lugareños con desmedida ansia de ligue con extranjeras, la asistencia a estos bailes estaba limitada a los estudiantes. Normalmente todos los extranjeros entraban sin problema, pero a mí el portero me tomaba sistemáticamente por italiano y me impedía el paso. Yo reivindicaba mi nacionalidad española, el portero respondía que era un truco imaginativo (no conocí allí a ningún otro estudiante español) y me exigía ver la *tessera,* el carnet universitario. Pero, claro, yo no era alumno de la Università sino de la Accademia, por lo que mi *tessera* era diferente, y siempre surgía la discusión, hasta que aprendí que lo mejor era entrar del brazo de una *straniera.* Debo reconocer que, por un lado, todo esto era engorroso, pero, por otro, me halagaba que me tomasen por italiano. «Todo buen catalán desearía ser italiano», ya lo decía (para desesperación de patriotas) el gran Pla.

Hasta aquí la anécdota de mi verano perugino; vayamos ahora a lo sustancial. Lo sustancial fue que en ese intenso mes y medio se afianzó mi amor por las Bellas Artes y por el país. Acabé el cursillo chapurreando decentemente la lengua que más tarde perfeccioné intentando desentrañar los artículos crocianos de Ernesto Rogers en la revista *Casabella* y que he llegado a hablar y a escribir con bastante corrección, aunque continúo haciéndome un lío con las dobles consonantes (para una amiga italiana no puede haber confusión entre Lucca –la ciudad– y Luca –mi hijo–, pero para nosotros...). Aunque reconozco sus defectos, adoro Italia, nunca me canso de viajar allí, y la verdad es que he trabajado más y soy más respetado allí que en mi país. Perugia está situada en el centro de la Umbria y cada domingo la Università organizaba una excursión en autocar por la región. Un domingo visitábamos Firenze, el otro, Gubbio y Assisi, el siguiente Siena... El guía de esas visitas era el impagable *professore* Scarpellini. Yo ya conocía a Scarpellini por las excelentes clases de Historia del Arte que impartía en la Università, a las que asistía como oyente, pero visitar los monumentos artísticos con él no tenía precio. Ante el gran arte se apasionaba de tal forma que perdía los estribos y expresaba su admiración a gritos tanto si nos encontrábamos en la calle, como en un museo, como en la catedral. Esto se acentuaba tras el vino blanco que tomábamos con la pasta —yo siempre me sentaba a su mesa— a la hora de comer. No puedo olvidar la visita que hicimos, *doppo pranzo,* al baptisterio de San Giovanni bajo la catedral de Siena. Frente a los preciosos plafones en bronce dorado de la pila bautismal —modelados por Jacopo della Quercia, Lorenzo Ghiberti y Donatello—, Scarpellini perdió el oremus; comenzó a proferir gritos de admiración mientras tocaba los relieves sin el menor recato, como si estuviese metiendo mano a su amada (bueno, como en realidad se debería disfrutar siempre de la escultura), ante la atónita mirada del vigilante, que no osaba reprender al *egregio professore.*

Las clases de la Accademia eran francamente estimulantes. Por las mañanas hacíamos dibujo y escultura con modelo; por las tardes hacíamos grabado sobre linóleo o al aguafuerte, e incluso pintura al fresco, que me pareció una técnica preciosa aunque nunca más haya tenido ocasión de utilizarla. En una de las aulas tenían un esqueleto completo del que hice varios dibujos que aún conservo junto con los desnudos que tomé del natural y los grabados (los modelados en arcilla y los frescos sobre fibrocemento los tuve que dejar desgraciadamente allí). Durante cincuenta años no he dejado de sentir nostalgia de aquel verano pasado en la Pietro Vannucci.

Pero también me acuerdo del verano siguiente, en que me tocó ir a las Milicias Universitarias. En aquella época los chicos que estudiábamos una carrera teníamos el privilegio de, para no perder curso, hacer la mili en dos veranos durante los estudios y un cuatrimestre al graduarnos. A nosotros nos tocaba acudir al Campamento Militar de Los Castillejos. Si exceptúo las semanas que estuve en New York intentando salvar la vida de Anna, fue la época más negra de mi vida. No conseguí doblegarme al absurdo de la disciplina militar. Además de la arbitrariedad de muchos mandos, me deprimió particularmente la falta de camaradería entre la tropa, o los caballeros aspirantes, como se nos llamaba, ya que «aspirábamos» a la «oficialidad». Los compañeros de infortunio se colaban en la cola que hacíamos de madrugada para que nos pusiesen una especie de chocolate ardiente en nuestra lata, robaban nuestra fruta al entrar en el comedor antes que nosotros..., cosas por el estilo. Yo parecía el único en indignarme y protestar a voces, lo que motivó que en la encuesta sobre la popularidad de los caballeros aspirantes yo quedase el último de la compañía. Una mañana, en la playa de Es Llaner de Cadaqués, Luis Goytisolo afirmó que lo había pasado mucho peor en la mili que más tarde en prisión por rojo. Lo hubiese abrazado allí mismo (Luis era, aún es, muy atractivo, además). En la cárcel se estaba privado de libertad, pero se tenían muy pocas obligaciones, en la milicia universitaria se tenían multitud de deberes, algunos físicamente duros, y, si no se cumplían a satisfacción de los imprevisibles mandos, podían hacerse realidad las amenazas de quedar arrestado en el cuartelillo (donde pernocté muchas noches), perderse los escasos permisos de fin de semana (que yo perdí) y perder también el privilegio universitario, degradándote a la mili normal, lo que significaba perder, al menos, un curso de carrera (mortificación de la que me salvé, aunque con un número muy bajo de promoción). Aún tengo muy presentes los momentos en que mientras hacía cola ante la batería de hediondas letrinas, si la niebla que ascendía por el monte cada tarde lo permitía, se vislumbraba el mar a lo lejos. Me venía a la memoria el texto de Camus en el que un recluso sueña con ir sumergiéndose poco a poco en el mar, la sensual sensación del agua ascendiendo por su cuerpo. Como ese cautivo me sentía yo. Nunca olvidaré el último día de lo que algunos recuerdan como unas vacaciones pagadas y otros recordamos como un inútil suplicio. Éramos los que saltábamos enloquecidos por el denominado *Paseo de Gracia* berreando: «*No tornarem mai més. No tornarem mai més. No. No. Nonono.*» Probablemente, el momento más feliz de mi vida.

Tras dos veranos, obtuve, por los pelos, el grado de alférez de complemento. Estaba comenzando la carrera. A los cinco años, cuando me gradué, casado con Beatriz y con alguna obra ya en curso, me llevé el sobresalto de que aún tenía que cumplir con los cuatro meses de prácticas como alférez de complemento. Ya no recordaba ni cómo se tenía que saludar a un superior. Según las calificaciones que habíamos obtenido podíamos solicitar plaza donde realizar las prácticas. Como las mías no eran particularmente brillantes me tocó Lleida. Ya me veis a mí con el uniforme de alférez confeccionado por un sastre militar, pensando en los detalles de obra de la tienda que estábamos proyectando en Barcelona (que ganaría el premio del mejor interior de la ciudad), dando órdenes pretendidamente autoritarias en los ejercicios de instrucción en el patio de armas del cuartel situado en lo alto de Lleida. Cuando llegué, en septiembre, el calor era sofocante, el Dos Caballos ardía cuando iba a recogerlo. Cuando terminé, en enero, tenía que rascar la escarcha helada del parabrisas. Lleida no me molaba, pero hice un par de excelentes amigos: uno el arquitecto Ramón Puig, el otro el interesantísimo artista y personaje Àngel Jové. La instrucción y las guardias en el cuartel eran deprimentes, pero los atardeceres con estos amigos bebiendo y escuchando (incluso dando algunos pasos) flamenco lo alegraban. En el cuartel decidí hacerme el absoluto imbécil y tuve bastante éxito en el empeño. Cuando tenía el mando de la compañía, solo me ponía serio y amenazaba con arrestos si los quintos robaban la fruta de los compañeros al entrar en el comedor.

Me acuerdo de que apenas ingresado en la Escuela Superior de Arquitectura de Barcelona, en la asignatura de Composición Arquitectónica, nos pusieron un ejercicio absurdo que consistía en hacer la maqueta de un conjunto urbanístico de ubicación y programa indefinidos. Este trabajo lo podíamos hacer en equipo (esto de trabajar en equipo con la consiguiente dilución de responsabilidades era una exigencia estudiantil que comenzaba a estar de moda). Pep Bonet, Cristian Cirici y yo, que ya nos habíamos hecho amigos, formamos uno. Dada la vaguedad del ejercicio −afrontar diseño urbano antes de comenzar a entender la arquitectura−, realizamos una maqueta con unos bloques paralelepipédicos de yeso bastante vulgares. Recuerdo perfectamente la maqueta que trajo un alumno al que aún no conocíamos. La maqueta, en cartulina color crudo, con una edificación circular con cubierta cónica, era de extraordinario buen gusto, y el alumno se llamaba Lluís Clotet. Como siempre he intentado acercarme a la gente de talento −esa es la razón de que siempre hablo bien de la obra de mis amigos−, también lo hice con Lluís. Enseguida intimamos, comenzamos a colaborar en ejercicios de la Escuela, entramos casi a la vez en el estudio de Federico Correa y Alfonso Milá −experiencia trascendental en nuestra formación−, fundamos −junto a Pep y a Cristian− Studio Per, más tarde BD Barcelona Design, y colaboramos estrechísimamente en trabajos profesionales durante más de veinte años. Decididamente, Lluís ha sido y es, tras más de medio siglo, mi mejor amigo y, seguramente, la persona más inteligente con la que he intimado.

Me acuerdo de que en la apacible comunidad de arquitectos barceloneses, a mediados de los años sesenta, apareció un forastero: el forastero de currículum incierto, que atrae a la vez que inquieta a una sociedad, que tan bien han reflejado multitud de películas norteamericanas. Un joven que comenzó a construir edificios sin haber pisado la Escuela Superior de Arquitectura de Barcelona, un proyectista que ni siquiera estaba colegiado en el Colegio de Arquitectos, ya que no poseía título universitario que lo acreditase como tal. La carrera de Ricardo Bofill (de él estoy hablando, naturalmente) tuvo un inicio meteórico y muy independiente de la de los arquitectos barceloneses de su edad. Aunque durante años los gurús de lo que se llamó Escola de Barcelona desconfiaron del valor real de aquel joven recién llegado de no se sabía dónde, a mí me cayó bien y nos hicimos amigos. Para el Pequeño Congreso de Tarragona de 1968 (una de las reuniones informales de destacados arquitectos españoles y portugueses que se celebraban periódicamente) decidimos hacer una película conjunta. Creo que la llamamos *No me gusta la ciudad*. Película que rodamos en super-8 por las calles de Barcelona (imagen icónica: yo conduciendo mi Dos Caballos descapotado, Ricardo de pie filmando las fachadas de la Pedrera) y en el estudio de Oriol Maspons (una de mis primeras obras), donde nos filmamos bailando y haciendo el ganso junto a Serena y Beatriz, nuestras parejas de entonces. La película, aunque extremadamente modesta, tenía su gracia y era muy representativa de aquel momento cultural (siete años antes de la muerte del dictador empezaban a pasar cosas sugestivas en nuestro país). Lamentablemente, Ricardo asegura que el original (no hicimos copia alguna de aquel celuloide de super-8) se extravió en el traslado de su taller; solo quedan escasas y dispersas imágenes en formato digital. Una pena.

La intimidad creativa que Lluís y yo mantuvimos durante muchos años fue realmente excepcional. Excepcional porque apenas se podía distinguir qué hacía mejor uno que otro. He conocido muchos equipos de trabajo y siempre he visto que un miembro aportaba más ideas, otro era más práctico, uno más anárquico e imaginativo, otro más racional, uno más dialogante con los clientes, otro más intransigente, uno más brillante al iniciar el proyecto, otro más ejecutivo... Con Lluís no era así, trabajábamos en la misma mesa, una mesa de metro cincuenta por metro cincuenta, uno frente al otro. El mismo cordel mantenía paralelos ambos Paralex, dibujábamos en los mismos cuadernos con los mismos lápices HB, hicimos las grandes acuarelas del anteproyecto del Palau de la Música al alimón, pintando los cielos a cuatro manos, a toda prisa, para que no se nos cortase la acuarela...

Mucha gente nos ha preguntado por qué decidimos terminar con una colaboración que durante dos décadas se había mostrado tan fructífera. Realmente el inicio de nuestra carrera compartida había sido francamente fructífero. Como arquitectos proyectamos algunas obras notables que luego nos ha costado mucho superar —muchas de ellas publicadas y premiadas local e internacionalmente; invitados a la Biennale de Venezia, a la Triennale de Milano–. Como diseñadores, algunos muebles que han quedado en la historia del diseño español y el León de Oro de la Biennale de Venezia por el diseño de la memorable colección de libros Palabra e Imagen. Opino que fue precisamente nuestra total falta de especialización –que nos gustasen las mismas cosas (aportar ideas, imaginar alternativas, inventar, dibujar, ir a talleres, visitar las obras) y nos disgustasen otras (el control económico del estudio, las cuestiones fiscales, las diversas y arbitrarias normativas y ordenanzas, el tema laboral de nuestros colaboradores)– lo que provocó que, tras tantos años, ya no tuviésemos casi nada que enseñarnos el uno al otro. La prueba de lo que digo es que, tras separarnos, nos asociamos con arquitectos de muy distinto perfil, arquitectos muy capaces y eficientes en los temas en que nosotros flaqueábamos.

A pesar de lo que nos llegamos a compenetrar, a pesar de que jamás se ha planteado un conflicto económico entre nosotros –cuando compartimos tantos proyectos arquitectónicos y tantos diseños con sus correspondientes royalties que aún hoy nos repartimos–, Lluís y yo no podíamos provenir de una situación económica y educativa más dispar. Lluís procedía de un entorno muy humilde; hijo de viuda, había hecho todos los estudios gracias a las becas que obtenía por sus excelentes calificaciones en un colegio muy religioso, los Escolapios de la calle Diputación. Yo los había hecho, a cargo de mis padres, en la Deutsche Schule, como ya he explicado, donde la educación religiosa, tanto de católicos como de protestantes, era muy *light*. Durante los primeros años de nuestra amistad, Lluís no podía olvidar mi ascendencia social. En cierta ocasión le confesé a Federico Correa que, aun siendo muy amigos, Lluís no dejaba de hacérmelo notar. Federico, sorprendidísimo, preguntó a qué lo atribuía, y yo le expliqué que, entre otras cuestiones, a que viviésemos por encima de la Diagonal (en un piso feo y muy poco por encima, por cierto), a lo que Federico respondió divertidísimo: «¡Qué tontería, no lo puedo creer! ¡Es muchísimo más elegante vivir en la calle dels Àngels que en Rosellón entre Lauria y Bruch!»

A finales de los sesenta construimos la Casa Fullà, un auténtico referente no solo arquitectónico sino social y cultural. En sus intrincados apartamentos fueron a vivir destacados personajes del underground y de la Gauche Divine barcelonesa, mundo al que ambos pertenecíamos. Hoy no consigo explicarme cómo pudimos compaginar una obra valorable con las locas, frecuentes y prolongadas madrugadas pasadas en Zeleste o en Bocaccio (él más en el primero, yo más en el segundo), cómo teníamos tiempo para todo, para ir a conciertos de Música Dispersa, Pau Riba, Jaume Sisa o Gato Pérez, flirtear, emborracharnos, fumar porros, tomar algún ácido, pasarnos media mañana jugando a dardos en el estudio y, a la vez, proyectar y dirigir obras con la ayuda de una secretaria, un delineante a compartir entre cuatro arquitectos y un teléfono en la portería del edificio que nos permitían utilizar, aunque a media conversación el periquito de los porteros aterrizase indefectiblemente en nuestras cabezas.

Aquellos tiempos desenfrenados quedaron muy atrás, pero un placer al que Lluís solo se ha resistido de forma radical muy recientemente ha sido el del alcohol. Las borracheras de Lluís, sobre todo en su fase ascendente, eran divertidísimas. Su tremendo e inteligente sentido del humor aparecía con toda brillantez, aunque en alguna ocasión le pudiese acarrear algún disgusto. En concreto me acuerdo, por la trascendencia de la ocasión, de una comida formal en el Palacete Albéniz de Barcelona. Por aquel entonces, Narcís Serra, futuro ministro de Defensa del Estado español e íntimo amigo de Lluís, con el que compartía vecindad y otras intimidades, era alcalde de la ciudad, y nosotros habíamos desarrollado un ambicioso plan urbanístico al que denominamos «Del Liceu al Seminari» porque realmente proponía una serie de actuaciones en el rosario de edificios monumentales que se encontraban entre ambos. Un punto neurálgico era la plaça dels Àngels (al lado de donde Lluís había nacido y vivido), en la que, a partir del derribo de varias edificaciones obsoletas y de nulo interés arquitectónico, podía aparecer una amplia plaza flanqueada por un nuevo edificio representativo que enseguida se pensó que podía ser el Museo de Arte Contemporáneo de la ciudad. Pues bien, con motivo de la visita de un capitoste de la Unesco que debía asesorar sobre el enfoque del futuro museo, se montó una comida superformal con Narcís, otros miembros relevantes de la alcaldía y de la *cultureta* catalana y nosotros. No tan solo éramos los autores del plan urbanístico, sino que se suponía que éramos también los arquitectos idóneos para acometer el proyecto del futuro museo. Como es habitual en estos eventos, en el aperitivo comenzamos a tomar copas, a las que siguieron los diversos vinos que regaron la larga, pretenciosa y poco apetitosa comilona. El «asesor» de la Unesco resultó ser un imbécil de mucho cuidado, un individuo de nula sensibilidad artística que venía a adoctrinar a unos aborígenes del tercer mundo. Lo único que le interesaba de los museos es que fuesen pedagógicos, patrióticos, que exaltasen los valores autóctonos. A lo largo del banquete nuestra irritación fue in crescendo, lo que provocó que Lluís fuese bebiendo con la vana pretensión de tranquilizarse. En un momento dado, no pudo reprimirse más y en su somero francés le preguntó al estúpido burócrata qué museo del mundo era para él la referencia modélica. «El Museo Nacional de Antropología de Ciudad de México», respondió imperturbable el individuo. El estupor y la cuchufleta con que recibimos la paternalista recomendación de que lo que pretendía ser un museo de arte de vanguardia barcelonés tomase como modelo un museo antropológico precolombino y el detectable estado etílico de Lluís –y un poco el mío, debo reconocerlo– nos crucificaron. Ni la excelente relación con Narcís pudo salvarnos. Cuando a la salida nos pusimos codo con codo a mear en la fachada del pretencioso palacete, ya intuíamos que nunca más se hablaría de nosotros como posibles proyectistas del museo, proyecto que acabó en manos de Richard Meier con el lamentable resultado que hoy puede comprobarse.

Recuerdos dispersos de una existencia que ha dado para mucho. Me considero un afortunado: a lo largo de mi extensa vida he podido vivir muchas y apasionantes experiencias. Pertenezco a una generación mimada, la primera europea de la historia (exceptuando la de la antigua Yugoslavia) que no ha tenido riesgo de acudir a guerra alguna: si hubiese nacido apenas veinte años antes, mi vida podía haber sido muy distinta. Nací en un medio económico holgado, con unos padres (no voy a caer en el lugar común de ensalzarlos) agnósticos, tremendamente tolerantes, aunque fuese por pereza. Con una madre fascinante de la que he heredado virtudes y defectos. Me acuerdo del día en que durante la semanal comida familiar mi padre se mostró sorprendido de que el talento de Esther (que ya había escrito libros notables) y el mío (que ya había recibido algún premio de dibujo, arquitectura y diseño) hubiesen salido de los genes de sus progenitores. A lo que mi madre objetó: «Hablarás por los tuyos, a mí no me extraña nada.» Así era ella.

En los viajes de Semana Santa que antes he descrito pude conocer paisajes, ciudades, monumentos, museos y excelentes hoteles y restaurantes de Francia, Bélgica, Holanda, Suiza, Italia, Austria, Alemania y Dinamarca. Un auténtico lujo y una formación impagable.

He podido visitar casi toda Europa, Egipto, Israel, parte de África, algo de América del Norte y del Sur, Tailandia, San Petersburgo, Singapur, Hong Kong, Japón... A pesar de que me he resistido a convertirme en un arquitecto trashumante, he tenido la oportunidad de trabajar o enseñar en Italia, Francia, Suiza, Alemania, Inglaterra, Estados Unidos y Japón (una experiencia calcada a *Lost in Translation*).

He construido auditorios, viviendas sociales, mansiones de lujo, estaciones de metro y de tren, hoteles, oficinas, incluso cinco rascacielos bajitos. He montado exposiciones, diseñado comercios y restaurantes... A pesar de las frustraciones y humillaciones sufridas, no me puedo quejar de las posibilidades que se me han presentado. Recuerdo bien el día que el amigo y gran arquitecto Enric Miralles me dijo: «Piensa que José Antonio Coderch no debió de desarrollar su obra en más metros cuadrados de los que llevamos nosotros ahora.»

Para empresas nacionales, italianas, alemanas y japonesas, he tenido ocasión de diseñar edificios, sillas, mesas, bancos, alfombras, lámparas, vajillas, cristalerías, quioscos, estanterías, campanas de humos, relojes, plumas estilográficas, joyas, termómetros, teléfonos, libros...

He escrito ocho libros en solitario y cinco en colaboración: publicados en prestigiosas editoriales y con alentadoras cifras de ventas.

He conocido y a veces he colaborado con creadores de valor universal. Sin citar a los más próximos y amigos: escritores y cineastas como Umberto Eco, Mario Vargas Llosa, Guillermo Cabrera Infante, Rafael Azcona o Luis García-Berlanga; arquitectos como Carlo Scarpa, Arata Isozaki, Fernando Higueras, Paco Sáenz de Oiza, Glenn Murcutt, Fernando Legorreta, César Pelli, Robert Venturi y Denise Scott Brown; diseñadores como Ingo Maurer, Achille Castiglioni, Vico Magistretti, Alessandro Mendini, Ettore Sottsass, Philippe Starck, Manolo Blahnik o Milton Glaser, y artistas como Salvador Dalí, Joan Miró, Bob Wilson, William Kentridge o Antonio López,

En mi vida ha habido grandes amistades y grandes amores, la mayoría muy fieles, y cuatro mujeres determinantes: Beatriz de Moura, Anna Bohigas, Victoria Roqué y Eva Blanch. Diréis que son muchas, pero conviví un mínimo de diez años con cada una de ellas y en un caso la relación terminó por causa trágica. Una vida, un equipo de trabajo, un congreso, incluso una cena, sin mujeres se me hace triste, fea y aburrida... Siempre temo que se acabe hablando de economía, de política o, aún peor, contando chistes verdes.

Por haber vivido tantas experiencias, visitado tantos lugares, disfrutado de tantas obras de arte y de tantas personas interesantes, puedo contar estas cosas y muchas otras que ya he explicado en otros escritos o que aquí no tendrían lugar. Me considero un privilegiado superviviente, y estas páginas están siendo, inevitablemente, un panfleto riguroso pero desenfadado de un superviviente.

VIVIR NO ES TAN DIVERTIDO

La principal ocupación de mi vida consiste en pasarla lo mejor posible.

MICHEL DE MONTAIGNE

A muchas personas poco acostumbradas a escucharme o a leerme (cosas muy parecidas), les sorprenderá el uso del término *divertido* en un contexto pretendidamente trascendente, pero siempre lo he utilizado muy conscientemente y con gran respeto; no muy diferente del que tenía Johan Cruyff cuando afirmaba: «Prefiero perder sin traicionar mis ideas que ganar sin divertirme.»

El gran pensador mexicano Gabriel Zaid afirma que el aburrimiento es la negación de la cultura. Evidentemente, el poeta, crítico y artista de *performance* estadounidense David Antin se refiere a otra cultura cuando, reinterpretando la célebre frase de un gerifalte nazi, afirma: «Cuando oigo la palabra *cultura* desenfundo mi almohada.»

En un pasaje de *El colgajo* (sobrecogedor libro de Philippe Lançon, uno de los supervivientes del atentado de *Charlie Hebdo,* que seguramente ha contribuido a que yo esté escribiendo este), el autor le enseña a su admirable cirujana una reproducción de un pájaro grotesco de Picasso. Ante la falta de entusiasmo de ella, él argumenta: «En cualquier caso, es divertido.» Ella: «¿Se puede ser divertido sin tomarse en serio? Quiero decir, ¿divertido sin reírse de uno mismo?» No se me ocurre mejor reflexión sobre el concepto divertido. Lo opuesto a lo divertido es lo aburrido, de ninguna manera lo serio. Y este libro está resultando incluso un poco más serio que mis libros anteriores.

En un inolvidable monólogo de *Manhattan*, Woody Allen nombra escasas cosas por las que merece la pena vivir, algunas de la cuales comparto: Groucho Marx, Jimmy Connors, Mozart, Louis Armstrong, Frank Sinatra, alguna película sueca, Flaubert, Marlon Brando y el rostro de la joven Mariel Hemingway...

Aunque yo añadiría alguna jugada de Messi, el «Cry Baby» de Janis Joplin, *Las Meninas*, los pedimentos de Fidias, el Pantheon de Roma o alguna obra de Aalto, lo significativo de la lista de Woody es que todas las cosas se basan en observar, no en actuar. En ver un partido de Connors, no en ganar un set a tu contrincante de turno; en escuchar a Mozart, no en componer; en ver algún film sueco, no en filmar; en leer a Flaubert, no en escribir. Evidentemente, se trata de la lista de una persona madura, de alguien que va perdiendo progresivamente la diversión o la capacidad de actuar. Ya dijo Albert Camus (que desgraciadamente nos abandonó joven) que envejecer era pasar de la acción a la compasión.

Si la lista la hiciese un niño o un joven se basaría en actividades: revolcarse por las olas en un día de temporal, hartarse de chocolate, hacer novillos, competir en un desafío, bailar hasta extenuarse, achisparse, fumar los primeros cigarrillos o los primeros porros, descubrir el sexo, seducir a la persona deseada, reír hasta la extenuación con unos amigos hasta la madrugada, pasar la noche en blanco, alcanzar el éxito o la fama..., en fin, actividades *divertidas*.

ENVEJECER, UN COÑAZO

Me he vuelto viejo con muchas arrugas, que
no me conocerías sino por lo romo y por los ojos
hundidos... lo que es cierto que ya voy notando
mucho los 41.

FRANCISCO DE GOYA

La pieza azulada de mis ojos aplastada y moli-
da, los dientes como teclas de un instrumento.
Mi rostro es la figura del espanto.

MICHELANGELO

Todo se torna graveza cuando llega el arrabal
de senectud.

JORGE MANRIQUE

«En contra de lo que afirma todo el mundo, la
vida es muy larga y da para mucho, y envejecer es un
coñazo», afirmaba mi hermana Esther, ser personalí-
simo que nunca opinaba algo por haberlo leído (con
lo mucho que lo había hecho), sino por haberlo des-
cubierto personalmente. Como en casi todos los temas respetables (por lo tanto, no en política), en este
estaba de acuerdo con ella.

Para pocos afortunados, la vida ha sido divertida
durante la infancia, apasionante y arriesgada durante la juventud, aceptable en la madurez y soportable en
la vejez. Los jóvenes no os dejéis engatusar por tanta

publicidad de parejas de vejetes, excepcionalmente bien conservados y milagrosamente bien avenidos, en la cubierta de un crucero, contemplando el horizonte tan felices con su plan de pensiones. Evidentemente, además de conservar algo de salud, sobrevivir económicamente es el problema fundamental. Parece que, al menos en la Unión Europea y por ahora, la seguridad social pública respalda un mínimo de supervivencia económica a las personas jubiladas. Sin embargo, no hay partido político que pueda garantizarla en un futuro con una esperanza de vida extremadamente prolongada. Vivimos muchos más años, pero nos jubilan casi jóvenes. Recuerdo el momento en que a Federico Correa, el mejor profesor que he tenido en la vida, como ya he explicado, no le pudieron renovar la cátedra porque cumplía sesenta y cinco años y estaba obligado a jubilarse. ¡Sesenta y cinco años! Edad quizás adecuada para jubilar a un minero o a un antidisturbios, pero que debería ser la mínima para acceder a una cátedra universitaria. Cuando cumplí setenta años, la Hermandad del Colegio de Arquitectos me comunicó que el seguro de accidentes que había pagado puntualmente durante cuarenta y seis —y que afortunadamente nunca me tuvo que socorrer— dejaba de protegerme; que a partir de aquella edad quedaba obligatoriamente desamparado, que no me subiese más a un andamio, que hiciese el puñetero favor de jubilarme y dar paso a los más jóvenes. Desde entonces, como compensación, he pasado a cobrar de la Hermandad una jubilación de 395,29 euros mensuales. Pero, independientemente de los graves problemas

económicos que sufren muchos ancianos, mi hermana tenía razón: hacerse viejo es efectivamente un coñazo, y lo es porque irremisiblemente nos van abando-
nando.

Nos abandona la salud

Josep Pla escribió que envejecer significa pasar
permanente frío y miedo a caerse. Esto suponiendo
que la salud nos haya respetado hasta entonces, pero
las afecciones antes esporádicas se van convirtiendo en
habituales.

En el impagable documental *La silla de Fernando,*
Fernán Gómez, el atrabiliario actor y director, confiesa que de la vejez lo que más le incomoda son las limitaciones que le está imponiendo la salud. Son pocas, ligeras, pero pasar de cuatro whiskies al día (los
momentos de su reconocida máxima felicidad) a uno
a la semana o no poder participar en comidas formales no deja de ser un engorro.

Al estrenar su película *Dolor y gloria* —una reflexión sobre envejecer—, Pedro Almodóvar confesaba
que le preocupaba pasar más horas visitando a sus
médicos que trabajando con sus colaboradores. Pedro
no es una excepción. De pequeño me explicaron que
al banco donde unos ancianos tomaban resignada-
mente el sol en la plaza del pueblo lo llamaban el
banc del si no fos, ya que en él las conversaciones siempre giraban sobre: si no fuese por la próstata..., si no
fuese por el hígado..., si no fuese por la artrosis... Soy
consciente de que la alternativa es quizás aún peor,
pero tener que estar continuamente pendientes de un

93

cuerpo y de una mente que hasta entonces no nos habían preocupado no es algo precisamente *divertido*.

Lo primero que perdemos es capacidad visual, ya que nuestra vista se comienza a cansar. Está demostrado que a partir de los cuarenta nuestros cristalinos, incluso los que teníamos una vista que nos permitía leer rótulos en diapositivas de 24×36 mm, van perdiendo elasticidad y capacidad de enfoque. Primero lo solventamos con gafas de lectura que, inevitablemente, aunque evitemos las apaisaditas y los cordones para colgarlas, nos comienzan a dar un aire poco juvenil. Luego sucede que con las dioptrías adecuadas para leer las cartelas de una exposición vemos las obras desenfocadas. Por lo que tenemos que recurrir a dos pares de gafas y a sus correspondientes colgajos. Menos mal que para solventar esta generalizada e inevitable deficiencia se inventaron las lentes progresivas, a las que muchos se adaptan con dificultad pero que para mí resultaron milagrosas.

Cosa muy distinta nos sucede a los que comenzamos a padecer sordera; en mi caso, claramente por herencia paterna, en ambos oídos e inoperable. Aunque han aparecido audífonos de altísima tecnología y de precio aún más estratosférico, acarrean muchas limitaciones e incomodidades. Funcionan relativamente bien si escuchamos algo –un concierto, la televisión– en absoluto silencio, pero, si hay ruido ambiente, lo que llega a nuestros oídos es un caos. Cualquier ruido nos altera, en el bar la cafetera atruena, en el restaurante la conversación de dos mesas más allá no nos permite atender a la nuestra, en el metro es inútil intentar conversar con nuestro acompañante. Los aparatitos exigen un mantenimiento meticuloso y constante, hay que limpiarlos tras cada uso, reponer las pilas que se agotan sin previo aviso, sustituir los filtros que se obturan... Además, al ir introduciendo los audífonos, vamos empujando la cera hacia el fondo de los oídos, por lo que un otorrino nos los debe desatascar de vez en cuando. Por estas razones, casi todos los que hemos recurrido a este pretendido milagro hemos acabado por no utilizarlo casi nunca, cosa que los especialistas consideran muy poco recomendable.

También nuestra piel comienza a darnos disgustos. Para comenzar, se arruga, cuestión que, sobre todo en las mujeres, resulta mortificante y que combatimos con toda clase de carísimos ungüentos y cremas. Se cuenta que Coco Chanel, cuando el fotógrafo que la estaba retratando le aseguró que no se preocupara por las arrugas, que ya las retocaría en la ampliación, respondió: «¿Cómo va usted a eliminar lo que me ha costado tantos años conseguir?» Si no es una leyenda urbana, es una respuesta antológica; pero hay que tener la confianza que tenía Coco en su talento y atractivo para decir: «La naturaleza te da la cara que tienes a los veinte, a los cincuenta depende de ti.» Desde luego, Gala —a la que aterrorizaba envejecer tanto como arruinarse económicamente— no actuó así: sufrió tantas operaciones estéticas que la piel de su rostro parecía transparente.

Independientemente de las arrugas, nuestra piel se comienza a manchar y a cicatrizar mal. Cualquier heridita tarda semanas en cicatrizar y deja rastros durante meses, si no es para siempre. No debemos tomar demasiado el sol, por temor al cáncer de piel, pero tampoco demasiado poco, por temor a quedarnos sin vitamina D. En fin, como más tarde analizaré, *nada en exceso.* Para colmo, parece que los ancianos comenzamos a oler mal. Es algo que yo aún no detecto en mí a pesar de que el olfato es el sentido que mejor conservo. Aunque detecte el olor a pescado en nuestro coche tres días después del día de la compra o el gas de un fogón mal apagado al instante, acepto que quizás no perciba mi propio olor porque ya me haya acostumbrado a él.

No hace mucho, unos cientos de miles de años, que la raza humana se tuvo que poner de pie para sobrevivir. Fue una exigencia traumática de la que aún arrastramos las consecuencias. Mantener tetas y culos enhiestos estando de pie es un problema, pero no el peor. Como adivinó Edipo al resolver el enigma de la Esfinge, el ser que camina con cuatro patas al alba, dos patas al mediodía y tres patas al atardecer es el hombre. Mantenernos erguidos, caminar y sobre todo incorporarnos cada vez nos exige un esfuerzo mayor. Las jóvenes deben hacerse cargo del problema y no considerar una descortesía que los ancianos no nos incorporemos automáticamente al saludarlas. Las personas de edad quizás caminemos menos hoy con tres patas (se ven menos viejos o viejas con bastón), pero las vamos sustituyendo por cuatro ruedas (cada vez se ven más sillas de inválidos).

Hace años navegué con Victoria a los fiordos noruegos a bordo del *Queen Elizabeth 2.* Siempre había envidiado llegar a New York, vislumbrando la Estatua de la Libertad, en un transatlántico tras una travesía llena de glamour, como en una película de los hermanos Marx, como explica la hija de Marlene Dietrich que viajaba su madre, o como hizo Dalí cada invierno hasta que desapareció la última travesía regular de un transatlántico italiano como el de *Amarcord*. El corto crucero en el *QE2* fue una gratificante alternativa de consolación, además de una experiencia reveladora de algunas reliquias del Imperio británico. Casi todos los pasajeros eran de mediana edad o ancianos, frecuentes pasajeros del *QE2* y británicos. El segundo sábado de junio pudimos escuchar, por la megafonía de la nave, el recordatorio y la felicitación a la Reina por su cumpleaños oficial. El protocolo era de lo más formal, varias cenas de gala con smoking. Al acudir a la primera nos sorprendió que compartiésemos mesa con dos parejas desconocidas. Ante nuestro desconcierto, el maître nos aseguró que al día siguiente dispondríamos de una mesa para nosotros solos. Los dos matrimonios eran ingleses, muy ingleses, como iríamos descubriendo. Bastó que una pareja se ausentase un momento, para que la otra observase cómo se les notaba el acento de los Midlands. Durante la cena, Victoria se interesó por saber cuándo preveían que el príncipe Charles accedería al trono, a lo que respondieron que todo dependía de la salud de la Reina, que parecía excelente. Cuando Victoria osó sugerir que también podría abdicar un día, se hizo un prolongado y embarazoso silencio rematado por el comentario: «*You read the wrong papers.*» Naturalmente, al finalizar la cena, nos faltó tiempo para advertir al maître que de ninguna manera nos cambiase de mesa.

En las cenas formales todos los comensales acudían absolutamente de gala, pero había tantos en silla de ruedas que los atascos frente a los ascensores eran espectaculares. Colapsado en el embotellamiento me expliqué por qué tantos ancianos escogían aquel crucero: no hacía falta que bajasen en cada puerto para disfrutar de la travesía, ubicaban tranquilamente sus sillas en la galería cubierta (el *QE2* aún las tenía, a diferencia de todos los grandes buques actuales que las han sustituido por vulgares terrazas privadas como las de los bloques de apartamentos de nuestras costas) y veían pasar ante sí los espectaculares y profundos fiordos noruegos.

El facilitar acceso a los minusválidos (que hoy son algunos accidentados y multitud de ancianos, puesto que en Europa ya no quedan los *mutilés de la guerre* que tenían asiento reservado en el metro de Paris) se ha convertido en una exigencia y un desafío para el arquitecto, que está obligado a renunciar a elementos arquitectónicos que protagonizaron la historia. A la planta noble de un edificio público —iglesia, juzgado, museo o biblioteca— había que acceder por una respetable escalinata. Basta recordar la de la Public Library o la del Metropolitan de New York para constatar hasta qué punto esta forma de acceder, probablemente heredada del templo griego, constituía una exigencia. Hoy, cuando la normativa no permite el más diminuto peldaño, se recurre a buscar un acceso exclusivo de minusválidos por la trasera del edificio. Como este apaño nos parece inaceptable, nos vemos obligados a encontrar alternativas para ennoblecer un umbral de acceso situado a estricto nivel del suelo o a dignificar las rampas, cosa nada fácil.

Es cierto que hay ancianos que por amor propio, por dignidad y por prurito estético se resisten a utilizar silla de ruedas y se empeñan en caminar dignamente erguidos. Me recuerdan a Christina Olson –la vecina que inmortalizó Andrew Wyeth, inválida en la parte inferior de su cuerpo–, que prefería gatear a ir en silla de ruedas. Ver a Federico Correa –que dijo que cuando dejas de andar te mueres y que odiaba el andador–, a sus noventa y seis años, con su bastón (estaba estudiando usar dos), avanzar erecto a pasos de dos centímetros y medio, era algo admirable. En la medida de lo posible, voy a intentar imitarlo de aquí a no mucho.

Pasemos a aspectos atléticos. Cuando veo a un vejete resoplando, detenido frente a un semáforo sin interrumpir su práctica del *running,* antes llamado *jogging,* antes llamado *footing,* siempre recuerdo que el autor de *The Complete Book of Running,* Jim Fixx, símbolo internacional de la introducción de esta insensata práctica, falleció, con solo cincuenta y dos años, de un infarto de miocardio mientras corría en julio de 1984.

Desde hace más de veinte años el único ejercicio que me obligo a practicar es el taichí; entre otras razones porque es el único que, a cierta edad, me parece estéticamente aceptable: miles de longevos lo demuestran en los parques de China. El desmesurado elogio que merecen los ancianos que emulan gestas físicas de jóvenes me remite a la aberración de pretender que los discapacitados físicos practiquen precisamente algo para lo que están limitados. Para comenzar, me parece absolutamente erróneo dirigir a una persona a un actividad en la que está en desventaja; animar a Ray Charles a que pinte acuarelas, o a David Hockney (sordo como una tapia) a que se ponga a actuar en un piano bar. La vista es seguramente el sentido más imprescindible para la vida cotidiana, pero, independientemente de muchos árbitros de fútbol, muchos invidentes han creado y crean obras magníficas. Aparte del inconmensurable Ray (al que recuerdo con sus gafas oscuras dándose golpes incontrolados con el micro mientras interpretaba desatado el «What'd I Say» en un antológico concierto en el Palau), Tete Montoliu en el Jamboree, la música de Andrea Bocelli, de Stevie Wonder, de José Feliciano; y los últimos textos de Borges, quizás los de Homero..., pero ¡¡poner a unos ciegos a jugar al fútbol con un sonajero dentro del balón?!

Cuando hablamos de deporte de competición este error resulta ya escandaloso. Considero los Juegos Paralímpicos una empresa quizás cargada de buenas intenciones pero un desvarío. Una persona en silla de ruedas puede hacer infinidad de cosas espléndidamente, pero ¿competir jugando a básquet?, ¿un cojo en salto de altura?, ¿un manco en natación? Cosas tan feas no pueden ser buenas para nadie. Y no me digáis que la fealdad es subjetiva o deberé insistir en la sentencia de Ferlosio: «No despreciéis el poder de la fealdad porque es la puerta de la estupidez y esta lo es a su vez de la maldad.»

La razón fundamental para fomentar estas aberraciones es que a los incapacitados les hace ilusión. Probablemente sea así, pero nuestra contribución altruista debería ser desviar este comprensible anhelo hacia quehaceres en los que pudieran ser realmente competitivos. Naturalmente, me diréis que practicar deporte es sano para todos y, por lo tanto, también para ellos. A veces pienso, como Alberto Closas, que el deporte mata, pero, sin llegar a este extremo, vamos a atender al oráculo más famoso del mundo antiguo: el oráculo de Delfos. En el frontón del templo de Apolo estaban grabados los dos preceptos délficos más importantes. El segundo aseveraba: MHΔEN ΑΓAN, *Nada en exceso*. Este ha sido el precepto de mi vida y el que, con relativo éxito, pretendo inculcar a mis hijos. Nada en exceso: en la comida, en el alcohol y otras drogas, en trasnochar, en el sexo, en el interés por el dinero, en las creencias religiosas o políticas, en el patriotismo, en el amor al prójimo y, desde luego, en la práctica del deporte. Ver deporte de élite es fantástico. No me pierdo un buen partido de tenis, de fútbol, de rugby, de fútbol americano o una carrera de moto GP. Verlo es apasionante, practicarlo al máximo nivel es indiscutiblemente insano. Hay que ver cómo envejecen los grandes deportistas. Salvo excepciones, la deliciosas nínfulas que se cargan de medallas de gimnasia en unos Juegos Olímpicos son unas maduras y obesas señoronas dos juegos más tarde. Los futbolistas del Barça que admiraba cuando ellos y yo teníamos veintipico, si aún están vivos, son unos venerables ancianos. Un estudio de la Universidad de Glasgow sostiene que los futbolistas corren 3,5 veces más riesgo de sufrir enfermedades de carácter neurológico –Alzheimer, Parkinson, demencia...– que el resto de la población. El fútbol americano es aún más dañino. Un estudio de la Universidad de Boston reveló que 110 de los 111 cadáveres analizados de jugadores de la NFL estaban afectados por encefalopatía traumática crónica. Mal que se ha detectado en todas las muertes y suicidios de jugadores recientemente retirados. En Estados Unidos ya se ha prohibido a los niños menores de doce años cabecear el balón, como se hará próximamente en Escocia.

Sabemos que los deportistas de élite ganan escandalosas cantidades de dinero, pero hay que reconocer que llevan una vida dura y que su salud pende siempre de un hilo. Incluso los tenistas, deporte en el que no existe contacto físico, sufren repetidas lesiones, a veces irreversibles (excepto Rafa Nadal, que ha renacido varias veces de forma milagrosa cuando ya le considerábamos irrecuperable). No cabe duda de que los grandes deportistas protagonizan espectáculos apasionantes que a veces rozan el arte, pero poco recomendables para su salud. El salto de altura es una disciplina muy bella (sobre todo desde que Fosbury le dio la vuelta), pero todos los saltadores que en el último decenio han superado los 2,40 m –Essa Barshim, Bondarenko, Drouin, Protsenko...– han sufrido graves lesiones. Elevarse a esta increíble altura (las puertas standard más altas miden 2,20 m) es tan forzado, tan antinatural, que el tobillo de impulso se quiebra como un cristal. También debían de resultar emocionantes, y hoy tendrían gran aceptación, las luchas pancracio de los Juegos Olímpicos de la Antigüedad –donde todo estaba permitido excepto meter los dedos en los ojos del adversario y en las que fallecía algún luchador en cada convocatoria–, las luchas de gladiadores en el circo romano y los grandes combates de boxeo, pero nuestro amor al prójimo los ha ido progresivamente proscribiendo.

Todos los hombres –excepcionalmente me refiero aquí al género masculino– a partir de la edad en que la naturaleza no tiene previsto que nos reproduzcamos, tenemos molestias con nuestra próstata. Este órgano glandular del aparato reproductor masculino puede dar problemas graves (cáncer, a veces maligno y mortal) o francamente molestos (el prostatismo que padecemos todos, que causa irritación de la vejiga, urgencia para orinar, menor fuerza en el chorro de orina u orinar repetidas veces). La excelente y original serie –por tratar con triste y tierno humor el envejecimiento– *El método Kominsky* incide en los atolladeros de próstata de los estupendos protagonistas, Michael Douglas y Alan Arkin. Algunos críticos, sospecho que bastante jóvenes, consideran excesiva esta insistencia. A los ancianos no operados la presión que va ejerciendo sobre la uretra esta ya superflua glándula que no para de crecer, nos obliga a estar constantemente pendientes de la cuestión, mear sin fuerza cuando no tienes ganas previendo futuros compromisos, tener que volver a hacerlo al cabo de poco, tener siempre el temor de que te lo puedas hacer encima..., precauciones no precisamente *divertidas*.

En fin, para problemas de salud aún más serios, me remito a lo que dice Woody Allen: «Llegamos a una edad en que las dos palabras más bellas que ansiamos oír no son "te quiero" sino "es benigno".»

Nos abandona la belleza

La belleza física es un sublime don que de toda infamia arranca un perdón.

CHARLES BAUDELAIRE

La belleza es algo muy grande, la belleza es poder y la belleza humana, como la de cualquier especie animal, encuentra su apogeo en la juventud. Los animales —a diferencia de los árboles que con la edad embellecen— somos graciosos y enternecedores de cachorros y bellos en la juventud. Si, como cualquier especie animal, hemos nacido para reproducirnos, es en la edad ideal para hacerlo cuando alcanzamos el cenit físico; todo lo que viene después es propina. Propina relativamente grata y cada vez más prolongada, pero del todo superflua para la permanencia de nuestra especie.

Aunque nos parezca injusto y cruel, el summum de la belleza se alcanza en la juventud, y esta evidencia ha sido reflejada en el arte durante milenios. Todo el arte sumerio, el egipcio y el sublime arte clásico griego representan la belleza de sus dioses, celestiales o terrenos, en cuerpos jóvenes. No podemos imaginar la soberbia cabeza de Nefertiti como la de una anciana. Hasta Zeus, para no mostrar su ancianidad, se disfraza de albo toro para raptar a Europa, de dorada lluvia para fecundar a Dánae, o de cisne para seducir a Leda. Un viejo violando a Leda plantea seria dificultad plástica, pero un cisne follándosela literalmente, como hace el de Michelangelo, puede ser una belleza. En las primeras escenas de la creación del universo de la bóveda de la Sixtina, Michelangelo representa al Creador como un anciano barbado púdicamente cubierto (un punto ridículo según Eduardo Mendoza) en contraste con la juvenil y erótica desnudez de Adán. Sin embargo, veintiocho años más tarde, en el *Giudizio Finale,* Michelangelo lo tiene claro: agarrándose a que el Padre ha delegado en el Hijo, tan comprometido compromiso, la Divinidad ya no aparece como un viejo venerable o como un barbado dignamente sentado en su trono, sino como un joven justiciero en pie y lampiño, un cachas de gimnasio que, hasta la pía intervención del *braghettone* Daniele da Volterra, no escondía ni sus genitales.

Existen dignísimas excepciones, podemos valorar la nobleza de las ancianas madres de Rembrandt o de Whistler, podemos admirar al viejo Samuel Beckett, incluso al viejo Marlon Brando de *El Padrino,* pero, cuando lo hagamos, imaginémoslo desnudo y revisemos *Un tranvía llamado deseo.*

La vejez nos afea y esta inexorable realidad nos entristece o nos rebela. A pesar del reciente empeño de igualar los sexos, no hay duda de que la decadencia física es aún más dura para las mujeres que en su juventud dispusieron de una tremenda arma de seducción. Afirmo que ningún mandatario de una gran potencia mundial tiene el poder de actuar como una chica atractiva de veinte años. Si el presidente de Estados Unidos, de Rusia o de China concierta varias citas simultáneas, no se presenta a ninguna de ellas —o acude más o menos flipado solo a una— y no se excusa por ello, provoca un escándalo diplomático que seguramente acaba con su carrera. Una joven atractiva puede hacer estas cosas y las hace tan tranquila porque tiene la certeza de que se le perdonarán. Muchas agraciadas mujeres maduras me han reconocido que practicaron estos caprichosos desaires en su juventud, pero que entonces no eran conscientes del excepcional poder que atesoraban y, sobre todo, no eran conscientes de lo perecedero que iba a ser. Por ello les resulta tan insoportable envejecer, por ello se torturan en el gimnasio, en dolorosos tratamientos de belleza. Por ello se someten a costosísimas intervenciones quirúrgicas que alteran sus facciones personales, las asemejan a sus amigas y destrozan su encantadora sonrisa.

Podéis argumentar que lo que explico puede darse, y de hecho se da cada vez más, en el género masculino. No puede discutirse que, aun fuera del escenario o de la pantalla, la belleza ayuda al éxito personal, e incluso profesional, de un hombre. A todos nosotros nos humilla envejecer: mirarnos al espejo y contemplar nuestras arrugas, constatar cómo nuestra barriga crece, nuestras piernas adelgazan, nuestro trasero desciende, nuestros brazos cuelgan fláccidos, en nuestras manos aparecen sospechosas manchitas marrones (y, afortunadamente, a pesar de nuestra aprensión, no se trata de cáncer de piel), nuestros dientes, antes prietos, se van separando y a los postres aún pellizcan fragmentos fibrosos de los espárragos del entrante. Nuestras orejas se cubren de vello y algo está sucediendo con nuestras cejas; recordaba a mi padre acariciándoselas enigmáticamente y, de pronto, hace pocos años, me sorprendí haciendo el mismo gesto. Unos pelos, rígidos como alambres, que llegarían a crecer de forma descontrolada, estaban brotando en mis propias cejas. Además, decrecemos, solo crecemos hasta aproximadamente los veinte años, después nos vamos achicando, y con la menopausia y la andropausia el proceso se acelera. Estos deterioros los sufrimos prácticamente todos los hombres, pero, como en la juventud no disfrutamos del grado de poder que otorga la belleza a las mujeres, en la vejez no sufrimos tanto su pérdida.

Nos abandona el deseo sexual

Las hijas de las madres que amé tanto
me besan hoy como se besa a un santo.

RAMÓN DE CAMPOAMOR

Es triste pero inevitable que con la edad el placer erótico se vaya enfriando y cada vez precise de más estímulos, físicos, químicos, psicológicos y artísticos. Incluso masturbarnos —esa placentera actividad que tanto nos había entretenido en la juventud y que Woody Allen define como tener sexo con quien más se quiere— nos acaba dando cierta pereza. Aunque a Buñuel esta pérdida le pareciera una gran liberación, al resto no deja de provocarnos, si no rabia, al menos cierta nostalgia. Es verdad que esta nostalgia ha generado valorables obras de arte, desde *Ada o el ardor* (publicada cuando Nabokov cumplía setenta años), hasta la obra tardía de Balthus, de Picasso o de Helmut Newton. Los viejos verdes sin talento son un engorro, un viejo verde genial es una rareza capaz de dejarnos alguna obra imperecedera. Pero no nos engañemos, se dan muy pocos, y todos añoran sus años felices.

Esto me lleva lógicamente a tratar los repetidos casos de hombres maduros que abandonan a su compañera de muchos años, probablemente madre de sus hijos, por una muchacha mucho más joven. Ya he argumentado que la belleza reside en la juventud e indiscutiblemente el deseo va unido –sobre todo en los hombres– a la belleza física, sensual. Cuando un vejete revive placeres que tenía olvidados, cuando experimenta una atracción erótica que no sentía desde hacía muchos años, se siente rejuvenecer y –aun reconociendo que se está engañando, que está haciendo un regate a la senectud y a la muerte– no puede resistirse a ese disparate. A los conocidos, a los amigos, les parece pueril, injusto, cruel e imbécil; él es consciente, les da la razón, pero... tira adelante. *Monkey Business* es un film de Howard Hawks cuyo título se tradujo por *Me siento rejuvenecer.* No soy partidario de traicionar el sentido de los títulos originales –traducir *Some Like It Hot* por *Con faldas y a lo loco* (en Hispanoamérica se tradujo mucho más apropiadamente por *Algunos prefieren quemarse)–*, pero la versión española de *Monkey Busi-*

ness describía plenamente el argumento del film. Rejuvenecer o aceptar la decrepitud; esa es la cuestión. Un maduro Cary Grant ingiere una pócima de laboratorio, se siente rejuvenecer y se topa con una jovencísima y deslumbrante Marilyn Monroe. Naturalmente, estamos en el Hollywood de 1952, él se cura y se conforma con su esposa, una madura, aunque muy atractiva, Ginger Rogers. Vi la película de niño, pero ya entonces me parecía una lastimosa renuncia, parecida a la del protagonista de *La tentación vive arriba*.

Evidentemente, en la sociedad actual es mucho más fácil y habitual hacer realidad esta fascinación para los hombres que para las mujeres. Sin embargo, eso no significa que féminas de edad sean inmunes a la misma tentación y que algunas, muy liberadas, hayan sucumbido a la misma sin complejos; sin ir más lejos se me ocurren cuatro damas talentosas del pasado siglo: Édith Piaf, Leni Riefenstahl, Gala y Sara Montiel. Desgraciadamente, solo puedo escribir con conocimiento de causa del género masculino. Por mucho que me gusten y me interesen las mujeres, acepto que somos muy diferentes, que ellas encierran secretos, jardines secretos como Bruce susurra en la inolvidable balada. Sin embargo, creo que en el progresivo abandono de la pasión sexual nos parecemos bastante, que la llegada de la menopausia, si no traumatiza, entristece a casi todas, pues, por mucho que el amigo doctor Santiago Dexeus haya intentado consolarlas afirmando persistentemente que continuarán pasándoselo chachi piruli (o guay, si no son tan mayores), son conscientes de que lo mejor ha quedado atrás.

Nos abandonan amigos

Cada año que pasa vamos perdiendo algún amigo, o amiga, lo que es aún más triste. No me refiero a los que perdemos por ofensas o desavenencias graves, estos pocos pueden compensarse por los que recuperamos gracias a que la tolerancia propia de la madurez nos predispone a perdonar viejos agravios. Tampoco pienso ahora en aquellos de los que la vida nos ha ido distanciando porque en su momento escogimos caminos, profesiones, familias y ciudades divergentes. Hablo de los fallecidos. Cada vez que repaso mis contactos telefónicos o de email tengo que borrar algunos. Cada año la lista es más corta.

Recuerdo perfectamente a mis padres cotejando las esquelas de *La Vanguardia*. Creo que era la página que más les interesaba, no se la perdían nunca. En aquel tiempo era la forma habitual de enterarse de la defunción de conocidos. Oigo comentar a mi padre: «Mira, ha muerto fulanita de tal, aquella chica tan mona de Sant Pol», mi madre, siempre tan mordaz: «Bueno..., chica, ya debía tener ochenta años.» En mis padres descubrí por vez primera la tristeza que produce ir quedándose solo.

Cuando medito sobre la aflicción que me produce la desaparición de un ser querido no me engaño, soy consciente de que es por razones puramente egoístas. No lamentamos lo que él se ha perdido en este valle de lágrimas –o en esta puta vida, que viene a ser lo mismo–, lamentamos lo que nosotros nos perdemos con su desaparición. El tremendo vacío se nos hace presente cuando, de un día para otro, comprendemos que no podremos intercambiar más ideas, compartir más copas, más bailes, la emoción ante una película u otra obra de arte, unas risas, un abrazo, unas caricias, una cama... Diréis que, al mismo tiempo que perdemos viejas amistades, podemos encontrar nuevas. Es verdad, entablar amistad con personas de las que nos separan dos generaciones nos rejuvenece, es sumamente *divertido*. Estoy seguro de que mi estrecha relación con Salvador Dalí se basó en este hecho. Le encantaba rodearse de gente joven. Yo lo era, no mal parecido y arquitecto, la profesión que Salvador respetaba por encima de todas. Mientras se señalaba la sien decía que la arquitectura se dirigía al cerebro mientras que la música –que despreciaba– lo hacía a las vísceras, y se tocaba la barriga. Pero poquísimos jóvenes –en gran parte por prejuicios políticos de la época– fueron realmente amigos del Maestro. No es fácil que adolescentes pierdan el tiempo con ancianos, los primeros deben estar interesados, los segundos resultar interesantes. Por lo tanto, inevitablemente, se dan pocos casos, y en la mayoría se trata de admiradores, no de amigos.

Nos abandona la memoria
Sobre todo, la de acontecimientos recientes. Como he demostrado al inicio de este libro, soy capaz de recordar hechos de infancia, películas en blanco y negro, cómics –*Hazañas Bélicas, Carpanta, La familia Ulises*–, amigos del cole, goles, cromos y la alineación del Barça de las Cinco Copas cuando yo tenía nueve años. Pero

111

a media proyección de una película reciente me doy cuenta de que la he visto hace poco y me es difícil recordar el nombre de alguien que me presentaron la semana pasada. Cada vez que, en un interrogatorio policial tipo *CSI,* veo que preguntan al sospechoso qué hacía exactamente a tal hora de tal día del pasado mes, pienso que yo, si no lo tuviese anotado en la agenda de mi móvil, iría directamente al calabozo. Olvido cosas que acaban de ocurrir; intento resolver problemas ya resueltos, busco desesperadamente los calcetines que acabo de meter en la maleta, las gafas que llevo puestas... Dicen que el Alzheimer afecta primero al hipocampo, que es donde se almacena la memoria reciente; no sé si debería comenzar a preocuparme, ya que de cada tres personas mayores de ochenta y cinco años una padece esta enfermedad.

Nos abandonan alternativas
En la juventud nos parece que ante nosotros se abre un abanico de atrayentes alternativas. Quizás ingenuamente pensamos que podemos escoger más de un camino en nuestra vida, más de una profesión, más de un país donde vivir, más de una lengua en la que expresarnos, más de una persona de la que enamorarnos. Decidir si preferimos ser un gran profesional o un gran vividor, una buena persona o un escalador oportunista, un esposo fiel y un buen padre o un despreocupado gran amante; Trintignant o Gassman en *Il sorpasso.* ¡Cuántas decisiones cruciales tenemos que tomar en nuestra juventud! Seguramente por eso es arriesgada pero *divertida.* Arriesgada porque, aun-

que no seamos conscientes de ello, definirá el resto de nuestra existencia, *divertida* porque tenemos la libertad de elegir entre alternativas trascendentes.

En la vejez estas alternativas resultan absolutamente utópicas; ya nos quedan poquísimas: escoger al doctor en el que confiar, un tratamiento conservador o uno más arriesgado, en qué museo o archivo queremos depositar nuestras obras, cómo tratar a nuestros hijos, que se hacen mayores a pasos agigantados, cómo redactar o revisar nuestro testamento, cómo deseamos morir, cómo queremos que se celebre nuestra muerte..., cómo redactar este puñetero libro.

Nos abandona el deseo de visitar lugares lejanos
En mi última estancia en New York visité a mi admirado amigo el diseñador Milton Glaser. A pesar de su avanzada edad lo encontré muy entero y animado, pero cuando le dije que esperaba encontrarlo en su siguiente viaje a Europa (la Côte d'Azur le parecía el lugar más bello del mundo, le apasionaba comer bien, guardaba buen recuerdo de su estancia en Barcelona, adoraba Italia, pasó largas temporadas en Bologna solo para tener de profesor en un instituto a Giorgio Morandi...), me dijo que iba a ser imposible, que a su edad ya no podía sufrir la humillación de aeropuertos y aviones. Lo mismo me está sucediendo a mí.

Recuerdo bien las largas conversaciones que mantuve con el gran pintor y amigo Luis Marsans, mientras cenábamos (bueno, cenábamos, él solo comía patatas fritas) en el restaurante Flash Flash. Cuando, una de esas noches, le expliqué mi intención de viajar a Egipto, Luis me dijo que no se veía capaz de estudiar previamente lo suficiente para poder comprender y valorar lo que iba a visitar y que, por lo tanto, era algo a lo que ya había renunciado. Aunque no he llegado a tal extremo, soy consciente de que ya no *entenderé* la India, Bangladesh, China, Australia, Islandia o Groenlandia. Como los paisajes no me apasionan, a no ser que me sugieran proyectos de cómo mejorarlos (por esto decidí ser arquitecto), esta renuncia no me traumatiza. La verdad es que, a lo largo de mi vida, solo he realizado un viaje a tierras ignotas. Fue cuando, con Victoria, pasé del Pacífico al Atlántico, de Chile a Argentina, en un pequeño barco costeando la Tierra de Fuego. Reconozco que –aunque fuese en zódiacs, bajo la lluvia y azotados por heladas salpicaduras– vimos lobos y elefantes marinos, pingüinos, albatros y cormoranes. Reconozco que tomamos un whisky con cubitos de cinco mil años de antigüedad a los pies de un glaciar. Reconozco que sobrevolamos en avioneta el Cabo de Hornos y tuvimos un emocionado recuerdo por los intrépidos marinos que, durante siglos, perdieron la vida entre sus embravecidas olas. Reconozco que hicimos todas estas cosas, pero al desembarcar en Ushuaia, a mitad de la travesía, nos precipitamos al aeropuerto y tomamos el primer vuelo a Buenos Aires. Pasamos el resto del viaje en un hotel que conservaba el encanto de la época dorada de la ciudad, visitando el Teatro Colón, el Banco de Londres, el Edificio Kavanagh, la transformación de Puerto Madero... y la tumba de Evita.

En fin, aunque ya no confío en «entender» Australia, la India o Bangladesh, sí lamento desaparecer sin haber visto la Ópera de Sydney, alguna obra de Glenn Murcutt, la Delhi de Lutyens o la Asamblea Nacional de Louis Kahn.
Aunque siempre me quedará Italia.

Nos abandonan colaboradores
En mi caso,

1. Los técnicos:
El delineante que entró en nuestro estudio cuando era casi un niño y se convirtió en colaborador imprescindible a lo largo de toda mi carrera: el primero que aprendió a dibujar con ordenador, el que hacía las mejores maquetas, el que recordaba dónde estaban archivados todos los proyectos y utensilios del estudio, el que conocía sus instalaciones y cómo repararlas: cuando llegó su edad de jubilación, me quedé huérfano.

Los arquitectos jóvenes, destacados alumnos míos de la universidad, que se formaron en mi estudio, que aprendieron el día a día de esta endiablada profesión pero que, inevitablemente, un día quisieron volar por su cuenta y me abandonaron. Incluso aquellos con los que aún mantengo relación profesional, colaboradores fieles durante decenas de años, están envejeciendo a su vez y previendo su jubilación.

Los aparejadores de confianza, profesionales con amplia experiencia de los que aprendí muchísimo, que evitaron que cometiera errores de juventud en la dirección de obra, que me enseñaron a tratar con las constructoras.

El ingeniero estructurista que colaboró conmigo desde los primeros y modestos proyectos hasta los más complejos. No se trataba de que calculase las estructuras, sino que colaboraba desde el inicio del proyecto al que íbamos dando forma juntos.

El ingeniero geotécnico que, por encima de los datos analíticos, nos enseñó a *entender* los terrenos y nos ahorró un montón de dinero rechazando cimentaciones excesivas recomendadas por las empresas constructoras.

El anciano y brillante asesor acústico alemán, una de las personas más sabias que conocí en mi vida, responsable directo de una de mis mejores obras: el Auditorio de Las Palmas de Gran Canaria.

El asesor de iluminación francés que no salía del mundo de la ingeniería sino del mundo del teatro, del music hall y del Son et Lumière. El que *iluminaba* mis proyectos más comprometidos.

Los fotógrafos que interpretaron creativamente nuestras obras y que nos han dejado un confuso archivo.

El contable que me libraba de toda responsabilidad burocrática.

El asesor fiscal que me parecía que siempre me hacía pagar de más pero que nunca me creó un problema con Hacienda.

2. Los artesanos:
El viejo experimentado albañil manitas al que encomendaba las tareas más delicadas.

El estucador que aún dominaba el estucado al fuego. El escayolista, profesión en trance de extinción, que resolvía con gracia los encuentros más conflictivos.

El ebanista del que aprendí cómo trabajar la madera, al que consultaba las secciones y los encuentros de la esbelta silla que imaginaba.

Añorando a los magníficos artesanos que poblaban mi tierra, recuerdo la comida a la que Jordi Pujol invitó a un grupo de gurús del diseño catalán de la época. En el comedor del Palau de la Generalitat, frente a un menú pretencioso y poco apetecible, se nos planteó la socorrida cuestión: «¿Qué podría hacer la Generalitat para contribuir al auge del diseño catalán?» Por una vez, tenía una respuesta clara, motivada por la reciente dificultad que había tenido para matricular a Andrea, la hija de Victoria, en la Escola Industrial de Barcelona: «Mire, señor president, lo tengo clarísimo: desaconsejar el ingreso masivo en carreras universitarias y fomentar la formación de oficios artesanales e industriales.» A lo que Pujol respondió: «Tusquets, es usted un ingenuo, todos los carpinteros desean que sus hijos sean abogados.» Ante lo cual, aún me pregunto hoy para qué sirven los políticos.

3. Los personales:
El médico de cabecera que me llevaba desde hacía muchísimos años, que conocía mis dolencias, mis limitaciones y mis manías, al igual que mi dentista.

El notario que custodiaba toda mi vida pasada, compras, ventas, herencias, sociedades... e incluso el

117

más allá, ya que preservaba mi testamento y, lo que es aún más importante, mi testamento vital.

El sastre al que no tenía que explicar mis deseos, ya que estos no cambiaban a lo largo de los años (y mi cuerpo poco) y él los conocía sobradamente.

Nos abandonan obras amadas

Me refiero a obras propias en las que, a lo largo de más de medio siglo, he depositado entusiasmo y dedicación.

En mis obras literarias esta pérdida no es irreparable. Aunque la introducción de un libro o un artículo periodístico se haya extraviado casi siempre es posible recuperarlos. Todos los de los últimos años se conservan en mi archivo digital. Mi libros están todos en el mercado y, gracias al rigor de mis editores (salvo uno de corta vida), se han ido reeditando en su momento.

Mis obras pictóricas están todas en buenas manos (eso espero, ya que nunca he vendido barato) y en excelente estado de conservación. Mi disciplinado respeto por la académica *cocina* pictórica y mi desconfianza en introducir nuevos materiales o tecnologías han contribuido decisivamente a ello. Mientras muchas de sus reproducciones fotográficas han envejecido descoloridas, los originales están como el primer día.

La mayoría de los muebles y objetos diseñados por mí están fuera del mercado, solo se encuentran subastados en la red. Los que, tras decenios, continúan produciéndose son admirables excepciones. De todas formas, de la mayoría de ellos se conserva un ejemplar y a veces un prototipo en mi Fundación. Por lo tanto, no se han perdido definitivamente. No sucede lo mismo con mi obra arquitectónica. Aunque las tres obras públicas más destacadas de mi carrera –la reforma y ampliación del Palau de la Música de Barcelona, el Auditorio Alfredo Kraus de Las Palmas de Gran Canaria y la Estación Toledo de la Metropolitana de Napoli– se conservan en excelente estado, de las dieciséis viviendas unifamiliares que se proyectaron en nuestro estudio, casi ninguna permanece en propiedad de la misma familia. Evidentemente vivimos una modernidad líquida y frágil, como asegura Zygmunt Bauman. Hoy resulta inimaginable nombrar un edificio de viviendas con el apellido del propietario y promotor (la Trump Tower es otra cuestión), pero a principios del siglo pasado en Barcelona esto era lo más natural; todas las notables casas modernistas llevaban el nombre de la familia que preveía habitar su planta noble durante generaciones: Casa Calvet, Casa Vicens, Casa Batlló, Casa Milà, Casa Lleó i Morera, Casa Navàs, Casa Fuster, Casa Thomas... Creo que casi todas las viviendas proyectadas por nosotros cambiaron de propietario al cabo de pocos años y, en todos los casos menos uno, la nueva propiedad modificó la obra irremediablemente. Además, muchos propietarios insisten en que no utilicemos su apellido para nombrar la casa, ya que la obra no figura a su nombre por razones fiscales. ¡Cómo ha cambiado todo, cómo se ha licuado!

Los proyectos de arquitectura interior son aún más efímeros. De los nueve locales comerciales y restaurantes proyectados por nosotros –cinco de ellos

119

premiados como la mejor arquitectura o interior de Barcelona– solo dos permanecen reconocibles. Los pocos interiores y casas familiares que se conservan aún me gustan, por lo tanto la desaparición de los restantes me entristece un poco.

Nos abandonan largos sueños reparadores
Un bebé necesita dormir unas diez horas, un adulto ocho, un viejo... pongamos seis. Ojalá fuesen seis de un tirón y nos levantásemos tan pimpantes. Pero no es así, son sueños a trompicones, quizás no pesadillas, pero sí oníricas banalidades que se interrumpen y vuelven obsesivamente a reengancharnos. Hasta hace muy poco podía encontrarme ante un examen de matemáticas superiores sin ninguna preparación, lo que provocaba la anulación de mi título de arquitecto. Habían pasado tantos años que cuando me despertaba, en el duermevela, pensaba, aliviado, que ya firmaría los proyectos mi socio o algún joven colaborador del estudio. También solía soñar que me faltaban unos meses de prácticas para terminar mi servicio militar. Estas pesadillas han ido casi desapareciendo, ahora sueño con deprimentes visitas de obra, con bochornosas y humillantes discusiones con un técnico municipal, cosas así. A veces puedo soñar con un antiguo amor, pero son muy pocas, la verdad.

Dormimos mal, nos enganchamos, con o sin excesos, a los somníferos. Muchos se resisten al sueño por el inconsciente temor a no levantarse.

Además, nos abandona la capacidad de leer en la cama. De niño, si un libro de aventis me interesaba, no lo podía dejar. Me alumbraba con una linterna bajo las sábanas para que mis padres no me regañaran por robar horas al reparador sueño. De joven, como siempre me ha gustado trasnochar y he odiado madrugar, me pasaba las noches leyendo. Ahora tengo que releer la cuarta página tres veces antes de que el libro (en mi caso la tableta) se me caiga en la cabeza. Solo en el AVE consigo leer tres horas seguidas.

Por la noche solo leo unas pocas páginas a intervalos de mis estúpidos sueños discontinuos.

Nos abandona estar de moda

Los que trabajamos en el amplio mundo de la creación estamos sujetos inexorablemente al devenir de las modas. La dictadura de las modas tiene una fuerza terrible, afecta decididamente al vestir; pero también al peinado, a la apariencia física, a todas las artes plásticas, al mueble, a la arquitectura, a la jardinería, a la cocina, a las razas de perros (¿os acordáis de los Alaskan malamute?), a los cocktails (¿os acordáis de los Manhattan?). Podéis citar la obra de algunos creadores que, por haber cambiado de estilo a lo largo de su vida, parece que no pasaron de moda, pero genios como Gaudí, Wright, Vermeer o Sorolla pasaron años, si no siglos, pasados de moda. El gran arquitecto Hans Hollein me explicaba que de estudiante pasaba frente a la terraza del Sacher vienés donde un venerable anciano tomaba café solo e ignorado por todos. Se trataba nada menos que de Josef Hoffmann, el alma inconmensurable de la Secession. El genial Josep Jujol —mano derecha de Gaudí y algo más— pasó años como un pintoresco y piadoso vejete que se empeñaba en hacer reproducir en acuarela elementos de arquitectura antigua en la Escuela de Arquitectura de Barcelona.

Durante unos años parecía que la arquitectura más interesante del mundo se hacía en el Ticino, ¿quién la recuerda? Durante años parecía que no se podía hacer urbanismo sin seguir la doctrina de Christopher Alexander y sus *Patterns*, ¿quién lo recuerda? Aunque también es cierto que haber pasado de moda no significa que no podamos retornar a ella. Los prerrafaelistas, los simbolistas, Caspar David Friedrich, Vermeer... retornaron; Fernando Higueras, Carvajal, Barba Corsini, Antonio Bonet, Paul Rudolph... lo están haciendo.

A finales del pasado siglo el diseño barcelonés, interesado en la forma pero respetuoso con la función, se puso de moda. Las siempre despiertas empresas italianas –Alessi, Memphis, Driade, Cassina, Flos, Zanotta...– acudieron a Barcelona en búsqueda de un grupo de diseñadores: Mariscal, Lluscà, Samsó, Riart, Lievore, Clotet, yo mismo.

Aprovechamos aquella oportunidad con mayor o menor fortuna, pero es evidente que nuestro momento ya pasó. Nuestra forma de afrontar los proyectos dejó de interesar a las productoras de vanguardia. Hoy la espectacularidad y la originalidad de la imagen, mostrada siempre en brillantes renders (u horrenders, como los llama Miguel Milà), interesan más que resolver un problema de forma discreta. Personalmente podría intentar reciclarme, pero a cierta edad eso no es tan fácil. Además, ir siempre detrás de la moda garantiza no estar nunca de moda. Mejor quedarse quieto y esperar que, quizás en un futuro más o menos lejano, el tren vuelva a parar frente a nosotros.

Nos abandona la capacidad de crear
Este tema ya lo traté en mi último libro, *Pasando a limpio,* pero no puedo dejarlo al margen en este capítulo sobre la vejez. Estoy convencido de que con la edad se adquiere experiencia y, quizás, sabiduría, pero no capacidad de invención. Se pueden afrontar proyectos más complejos pero con menor frescura. Las herramientas indispensables para escribir un inspirado poema no son las mismas que para escribir una compleja novela; para pintar un croquis acuarelado que para pintar el *Giudizio Finale* en la Sixtina. Además, hay disciplinas que, por la complejidad de los elementos que intervienen, requieren de un aprendizaje largo y a veces penoso. Para proyectar y llegar a construir grandes edificios hay que tener conocimientos muy diversos: artísticos, estructurales, constructivos, económicos, legales, psicológicos y mediáticos. Esto hace suponer que los eminentes arquitectos se manifiesten a edad madura. El ejemplo del gran Louis Kahn, que realizó su primera obra personal y representativa, la Art Gallery de la Universidad de Yale, a los cincuenta años, avalaría esta presunción. Aunque vidas de tiempos no tan pasados como la de Charles Garnier la cuestionan.

Garnier entra en L'École des Beaux-Arts en 1842, con diecisiete años, es Grand Prix de Rome con veintitrés, con veintiocho viaja a Grecia y presenta a la Académie de France en Roma su proyecto de restauración del Templo de Egina. Gana el concurso para la Ópera de Paris a los treinta y seis años. Termina y publica el proyecto –en un libro que influenciará a todo Occidente– con todo lujo de detalles estructurales, arquitectónicos y decorativos, en 1871, con cuarenta y seis años. Luego proyecta el Teatro y Casino de Montecarlo y se dedica a la buena vida en la Riviera italiana, donde se construye una espléndida *vila* que disfrutará hasta su muerte. Una vida solo imaginable en tiempos pasados y que envidiamos los arquitectos que hoy, en plena ancianidad, para conseguir un encargo decente nos vemos obligados a dar tumbos por aeropuertos del orbe.

Pero en pleno siglo XX se dieron también casos de precocidad arquitectónica, aunque nunca fuese en obras de gran tamaño. El gran arquitecto portugués Siza Vieira ha proyectado, a lo largo de su extensa carrera, construcciones magníficas, pero quizás ninguna tan poética como su segunda obra proyectada a los treinta y un años: las piscinas en Leça da Palmeira. Ricardo Bofill terminó la Muralla Roja a los treinta y cuatro años. Esta obra, que sorprendió y escandalizó, a partes iguales, a un grupo de arquitectos barceloneses hace más de cuarenta años, se ha convertido en un icono para los jóvenes, arrasa en las redes, es el plató de un montón de reportajes de moda y de secuencias del film *Nieva en Benidorm* de Isabel Coixet, y me continúa pareciendo una de las más inspiradas del arquitecto. La modélica Unidad Vecinal de Hortaleza –imaginativa alternativa a los bloques racionalistas para alojar inmigrantes– la proyectaron Fernando Higueras y An-

tonio Miró cuando apenas tenían treinta y tres años.
Y es indudable que, con la experiencia, Lluís Clotet y yo
hemos conseguido resolver con dignidad proyectos mucho más complejos que la casita de Pantelleria (la intervención en el Palau de la Música de Barcelona, sin ir
más lejos), pero quizás nunca alcanzamos la intensidad
poética de aquella obra proyectada a los treinta y un
años. A mis setenta y nueve años desearía sentirme capaz de afrontar nuevos desafíos arquitectónicos, de diseño, pictóricos o literarios, pero, al revisar obras de
juventud, me sorprende tanto la tremenda ambición,
empeño y entusiasmo que traslucen como la frescura de
su ejecución. Me temo que hoy no sería capaz de aco-
meterlas de la misma forma.

Como estoy convencido de que no existen dife-
rencias sustanciales entre la creación artística y la
científica, me interesó mucho la noticia que leí sobre
un gran físico estadounidense que dio una fiesta, antes de cumplir cuarenta años, para celebrar la despedida de su época de creatividad. Era consciente de que
a partir de entonces podría enseñar y pulir su teoría,
pero ya no engendraría más hipótesis innovadoras.
También me resultaron reveladoras las manifestacio-
nes del matemático Alessio Figalli, medalla Fields (el
Nobel de las matemáticas) a los treinta y cinco años,
ya que, como él asevera, a los cuarenta ya no ganas el
Fields. Figalli basa la extrema juventud de los matemáticos en que los demás científicos no solo necesitan
tener ideas brillantes, sino demostrarlas. Para un físico o un químico eso requiere costosos equipos, pero a
los matemáticos les basta con lápiz y papel.

Hablando sobre estas cuestiones, mi buen amigo Jorge Wagensberg me informó de que hay muchos estudios que confirman estos temores. El *Physics Today* publicó un artículo muy serio que afirmaba que el pico de la creatividad en física está en unos treinta y ocho años. La historia está llena de grandes ejemplos. Einstein, probablemente el físico más trascendente de todos los tiempos, ya lo había publicado todo a los treinta y nueve. Añadía Jorge que es muy curioso lo que ocurre en matemáticas: los grandes teoremas los demuestran jóvenes de menos de treinta años (que tienen el cerebro fresco y potente), pero los enuncian y plantean (las famosas conjeturas) matemáticos de más de sesenta (que han visto más casos y por lo tanto tienen más perspectiva para establecer relaciones). Con esta reflexión, Jorge me abrió un mundo, me hizo descubrir la única ventaja de la madurez, *haber visto más casos*. Hay que haberlo hecho para escribir *Anna Karénina* o *À la Recherche,* pero no es imprescindible para escribir el *Poema del cante jondo* haber visto más casos y, por lo tanto, tener más perspectiva y cometer menos errores. Esto justifica que, aunque la creatividad haya remitido, algunos sigamos en el tajo. Se ha detectado cierta longevidad de arquitectos y diseñadores. Parece ser que en estas profesiones hay un alto índice de actividad intelectual, lo que aumenta la conectividad entre las neuronas del cerebro y retarda la aparición de enfermedades degenerativas, como por ejemplo el Alzheimer. Es verdad que la lista de proyectistas que murieron en buen estado mental a edad muy avanzada da relativas esperanzas.

Achille Castiglioni murió a los 84, Vico Magistretti y Luis Barragán a los 86, Sottsass a los 90, Wright a los 92, Robert Venturi a los 93, Ignazio Gardella a los 94, Philip Johnson a los 98 y Oscar Niemeyer ¡a los 105! Pero no nos engañemos, el común de los creadores no ha alcanzado su cenit en la ancianidad. Se dan raras excepciones, las últimas pinturas de Tiziano, la *Pietà Rondanini* de Michelangelo, pero son esto: raras excepciones.

Nos abandonan las nuevas tecnologías
No me considero apocalíptico ni integrado. No abomino de las nuevas tecnologías. Algunas me encantan, como la que ha permitido arrinconar esa pesadilla del pasado siglo llamada teléfono. El teléfono siempre me pareció un incordio, que me telefoneasen, una incorrección y una invasión a mi intimidad. Estoy haciendo una delicada veladura en un óleo o acuarela y tengo que interrumpirla —con el riesgo de que se me corte— para atender la llamada que me ofrece una jugosa propuesta para invertir mis desmesurados fondos o un curso de inglés. El insulto que recibe mi interlocutor me parece totalmente justificado: sé que solo cumple órdenes de un superior, pero el funcionario que abría la espita de gas de la cámara de Auschwitz no hacía otra cosa. Mis hijos ya no telefonean, las larguísimas charlas adolescentes que desesperaban a sus progenitores solo se ven en películas camp. Toda propuesta seria merece haberse molestado en escribir un email, cualquier noticia urgente un SMS o un whatsapp. Escucho el discreto pitido y lo atiendo en cuanto puedo.

Ya he escrito que prácticamente solo leo en la tableta, apenas compro libros en papel, quizás alguno de arte por su belleza como objeto. Por lo tanto, agradezco el uso de nuevas tecnologías que me facilitan la vida. Pero navegar por ellas tiene un coste; lleva mucho tiempo y nunca se está al día. Siempre hay teóricas mejoras, justificadas o no, que dejan obsoleto lo que hemos llegado a aprender con bastante esfuerzo. Solo nuestros hijos nos sacan, condescendientes, del atolladero.

Nos abandona el deseo de iniciar proyectos de larga duración

Somos conscientes de que se nos ha hecho tarde para tantas cosas: tarde para iniciar un deporte (aunque sea el ajedrez), tarde para entender las reglas del críquet, tarde para aprender un nuevo idioma, tarde para visitar lugares lejanos, tarde para cambiar de ciudad o de equipo de fútbol, tarde para enamorarnos...

No es sensato involucrarnos en proyectos cuya duración supere nuestra previsible vida activa. A cierta edad no deberíamos comenzar escritos extensos. Muchos redactan sus memorias cuando su memoria ya flaquea, y así les salen.

Erin Fleming, joven secretaria y tardía amante de Groucho Marx, le explica, animadísima, que como han recuperado los derechos de sus películas y se están restaurando a su estado original, se ha comprometido a que, cuando estén listas, él las vaya presentado en múltiples universidades del país. Ante estos planes Groucho responde: «Pero es que por esas fechas tenía previsto morirme.»

Sabemos que para que un árbol crezca sano y vigoroso debemos plantarlo muy joven. No tiene sentido que para nuestro jardín escojamos un ejemplar de gran porte y de crecimiento muy lento. Ya he explicado que los árboles bebés, a diferencia de los mamíferos, son poco agraciados. No disfrutaremos de nuestro ejemplar en su esplendor y los nuevos propietarios lo arrancarán sin duda para *modernizar* el diseño paisajístico.

Nos abandona la utilidad de aprender
He dejado este «abandono» para el final del capítulo porque es el único que podemos mitigar con nuestro esfuerzo.

Aprender es de las actividades que más me han divertido en la vida. Aprender cómo se construye un mueble, una casa, un barco (hay un programa de televisión, *How Do They Do It,* que explica cómo se hacen las cosas más diversas, desde un caramelo a un violín: nunca me aburre). Aprender cómo se sostiene un avión en el aire, cómo ciertos insectos patinan sin hundirse sobre la superficie de un estanque, cómo Brunelleschi levantó su cúpula. Aprender estas cosas nunca me ha aburrido. Por esto soy ávido lector y fui gran amigo de Jorge Wagensberg, porque con él aprendí un montón de cosas que no olvidaré. No como la lista de los reyes godos o los afluentes del Tajo, que en su día memoricé con atormentante esfuerzo.

Aprender las siempre nuevas ordenanzas, normativas urbanísticas, de seguridad, de habitabilidad, antiincendios, de ahorro energético, de control ambiental, incluso estéticas, siempre fue una engorrosa necesidad, pero para mí ha dejado de tener sentido cuando solo proyecto arquitecturas anómalas.

Aprender idiomas no me enloqueció, aunque reconozco que me abrió importantes oportunidades en mi carrera y un montón de placeres, como escuchar el francés de Édith Piaf en «Les feuilles mortes», el inglés de Dylan en «Just Like a Woman», leer en italiano *Il Gattopardo,* mucho Pla en catalán y aprenderme «Der Erlkönig» en alemán. Pero ¿vale la pena que hoy haga el esfuerzo de perfeccionar mi inglés? Mis neuronas estaban bien conectadas para ello antes de los catorce años, no ahora. Nadie aprende perfectamente una lengua de mayor, tenemos infinitos ejemplos. Borges comenzó a aprender, por sí mismo, leyendo a Heine con un diccionario, la «dulce lengua de Alemania» (cuando ya dominaba el español, el inglés, el francés y el latín) a los diecisiete años. Recita a Heine de memoria en televisión: *«Es war ein Traum...»* Para Borges aprender un idioma es «una nueva aventura» y ya muy mayor, ciego y próximo a la muerte, se pone a estudiar japonés y árabe. Pero Borges hay uno, no más.

Perfeccionar idiomas a mi edad me parece una insensatez, intentar aprender cosas útiles (excepto unos imprescindibles rudimentos de informática), una ingenuidad: sin embargo, aprender cosas inútiles pero que ayudan a entender el mundo aún me atrae. Por eso leo cada vez más, porque aprendo cosas de la naturaleza, de la ciencia, del arte, de los humanos... No sé si estas enseñanzas me están sirviendo concretamente para algo, pero quizás sí para escribir este libro.

CUANDO VIVIR YA NO ES DEFINITIVAMENTE DIVERTIDO. APRENDER A MORIR, EUTANASIA Y SUICIDIO

¿Que me vas a doler, muerte?
¿Es que no duele la vida?
¿Por qué he de ser más osado
para el vivir esterior
que para el hondo morir?

La tierra ¿qué es que no el aire?
¿Por qué nos ha de asfixiar,
por qué nos ha de cegar,
por qué nos ha de aplastar,
por qué nos ha de callar?

¿Por qué morir ha de ser
lo que decimos morir,
y vivir solo vivir,
lo que callamos vivir?
¿Por qué el morir verdadero
(lo que callamos morir)
no ha de ser dulce y suave
como el vivir verdadero
(lo que decimos vivir?)

«La muerte bella»,
JUAN RAMÓN JIMÉNEZ

131

Creo haber demostrado la obviedad de que vamos perdiendo diversión a medida que envejecemos. Pero en la mayoría de los casos llega un momento –que con los «avances» de la medicina puede prolongarse años– en que la diversión se convierte en absoluto aburrimiento, cuando no en suplicio. El empeño de sobrevivir a cualquier precio, no disfrutando ya de un momento de placer, padeciendo insoportables dolores, arruinando sentimental y económicamente a nuestros seres queridos, es algo continuamente ensalzado pero que pongo absolutamente en cuestión. La lucha por la vida como valor supremo podría provenir de la religión, que afirma que, como la vida nos la otorgó Dios, solo Él puede arrebatárnosla. Un convencido creyente podría afrontar la muerte con serenidad, conformismo e incluso como una bendición. Los místicos españoles son un ejemplo señero de lo que digo. Los sublimes poemas de san Juan de la Cruz o de santa Teresa de Ávila no hablan de la muerte como una maldición sino como la definitiva liberación de los dolores terrenales. Cuando ya no disfrutamos de un mínimo de salud o de entendimiento, ojalá los formados en la doctrina cristiana afrontásemos la muerte con esa actitud. Cuando de niño se lo pregunté a mi padre, que como cirujano había visto morir a bastantes pacientes, aseguró que no había visto a ningún creyente morir conformado, y en mi vida solo he vivido un caso, del que escribiré más adelante.

La muerte se contempla de forma muy distinta en diferentes culturas. Sin remitirnos a religiones y culturas orientales, tenemos el ejemplo de dos países tan próximos que solo están separados por una larga y conflictiva frontera: México y Estados Unidos. La presencia de la Muerte en los festejos y en el arte popular del primero es apabullante y, de alguna forma, fascinante. *Coco,* la gran película de los grandes Pixar, lo representa con una gracia y una elegancia admirables. Es sorprendente que esta obra provenga de un estudio estadounidense.

En 1980 la Rhode Island School of Design (RISDI) me invitó a impartir un cuatrimestre. Hay que entender la fascinación que las universidades estadounidenses ejercían en aquellos años. Que una prestigiosa universidad te invitase a dar una conferencia y, ya no digamos un curso, significaba un franco reconocimiento internacional. Además, enseñar a un grupo reducido de treinta alumnos parecía un lujo. La decepción llegó más tarde, cuando comprobé que, si en la Escuela de Barcelona de trescientos alumnos tenía treinta interesantes, en RISDI, de treinta, tenía tres: exactamente el mismo porcentaje de dedicación y talento. RISDI tenía la reputación de ser una universidad de tradición europea –el rector del departamento de Arquitectura era austríaco–, nada especialista, que aspiraba a una cierta Integración de las Artes, una especie de Bauhaus renacida. Se enseñaba pintura, escultura, diseño, fotografía, moda... De entrada esta convivencia me había parecido muy sugestiva, pero resultó que los docentes y alumnos del departamento de Arquitectura se consideraban muy por encima de los demás y no llegué a conocer a ningún profesor o estudiante de las subsidiarias *artes aplicadas*. Además el claustro académico pretendía que pasase el cincuenta por ciento de las horas lectivas en reuniones para discutir el programa, cuando a mí lo que me divertía, y donde me sentía útil, era corrigiendo proyectos con los alumnos.

Aunque la universidad está ubicada en Providence, decidí vivir en Boston, ciudad sin duda mucho más atractiva. Lo hice compartiendo casa con unas amigas del videoartista Antoni Muntadas. Él tenía alquilada una habitación allí que yo realquilé porque Muntadas casi nunca la utilizaba, de hecho solo compartimos la habitación una noche, ya que se pasaba la vida recorriendo el inmenso país de universidad en universidad proyectando sus vídeos. Cuando lo vi partir, enfundado en sus blue jeans, con el zurrón, que contenía su muda y todos los vídeos (hablo de hace cuarenta años), al hombro, me recordó al cowboy que sale a recorrer todos los rodeos del Oeste.

Las amigas de Muntadas dormían, y quizás hacían otras cosas, en una enorme Waterbed, ¿recordáis aquellos ondulantes colchones? Las chicas eran muy amables, pero tuvimos poco contacto. Para su sorpresa, yo jamás cociné (una de mis vergonzosas carencias, la otra es no saber ir en bici), los días que no tenía universidad me hacía un bocadillo al mediodía e iba cada noche a un ruidoso restaurante chino, en el barrio chino, donde yo era el único occidental y se comía de maravilla por pocos dólares. En ese restaurante aprendí dos cosas: una, que los chinos hablan a gritos todo el tiempo; la otra, la razón por la que en un buen banquete debe haber tantos platos distintos como comensales. Al comenzar la velada la gran mesa circular estaba ocupada por un solo comensal que pedía un plato de tamaño considerable, al llegar el segundo comensal pedía un plato distinto, y lo mismo sucedía cuando llegaba el tercero, el cuarto, el quinto... A final, diez chinos compartían entre risotadas diez platos distintos.

Casi siempre cené solo. Solamente estuve invitado en una ocasión a cenar en la bella mansión neoclásica de Machado (profesor importante en RISDI) y Silvetti (lo mismo en Harvard, de la que llegó a ser rector). Curiosamente, dos latinos. Ningún profesor ni ninguno de los adinerados alumnos tuvo este detalle. La pretensión de que alguno me invitase a navegar en el yate de la familia fondeado en la vecina Newport pronto se desvaneció. La soñada universidad de Scott Fitzgerald no apareció por parte alguna. Las familias de los alumnos pagaban una matrícula descomunal, por lo tanto sus hijos no tenían por qué simpatizar con nosotros. Los mismos alumnos no confraternizaban entre ellos –a pesar de que casi todos estaban lejos o lejísimos de sus hogares–, competían entre sí. Amerika es así.

Como solo daba clases dos días a la semana, tenía tiempo de sobra para trabajar en otras cosas. En la mesa situada frente a la ventana de mi amplio dormitorio desarrollé todo el proyecto del juego de té para Alessi, croquis, planos sobre papel milimetrado y maquetas en *papier maché*. Mientras lo hacía, tenía siempre encendido el televisor que alquilé el primer día.

135

En aquellos años solo podía ver canales comerciales, que eran muchos pero siempre echaban lo mismo, concursos, *soap operas* y noticias. Y resulta que en unas diez horas diarias durante los cuatro meses no vi ninguna imagen relacionada con una muerte vulgar. Parece que la gente no fallecía, resistía heroicamente en su silla de ruedas. Era recurrente la imagen de Rose Elizabeth Fitzgerald, la madre de la saga de los Kennedy, que entonces tenía noventa años y que fallecería a los ciento cuatro. Las imágenes de asesinatos violentos y entierros, tan frecuentes en películas y series, no aparecían nunca en las noticias. Claro, las primeras eran ficticias, las segundas tristemente vulgares. Es muy significativo que, muchos años más tarde, las imágenes de las personas que, huyendo del fuego y el humo, se arrojaban desde lo alto de las Twin Towers fueron inmediatamente censuradas. Allí fueron asesinadas más de dos mil seiscientas personas, pero no hemos visto un solo cadáver. La muerte se oculta pudorosamente. ¡Qué cerca están físicamente de México pero qué lejos anímicamente! A lo mejor la religión católica ha tenido alguna influencia en este abismo. En muchas de nuestras iglesias encontramos cuerpos incorruptos de santos (el brazo incorrupto de santa Teresa que acompañaba al Caudillo), calaveras, otras angustiosas reliquias, y pinturas que representan a mártires sufriendo aterradores tormentos; todo ello impensable en un templo protestante.

Sin embargo, la actual exaltación del vivir como valor supremo me hace sospechar motivos más laicos.

Estamos empeñados en vivir a cualquier precio y este precio suele ser muy alto y un negocio descomunal, sobre todo en las prestigiosas clínicas de Estados Unidos, de donde precisamente provienen la mayoría de las películas, telefilms y series donde el empeño y el valor del paciente ante el dolor de los tratamientos y el apoyo de familiares, amantes y amigos se ve finalmente recompensado por la curación de una enfermedad considerada terminal. El consabido *happy end* hace creer en una victoria definitiva, no en el inevitable aplazamiento de la derrota. Luchar desesperadamente por prolongar la vida está mucho mejor visto, es mucho más políticamente correcto, que aceptar dignamente la muerte.

En los países, como el nuestro, donde existe asistencia sanitaria pública, esta se ve obligada a dedicar una cantidad de recursos desproporcionada al costosísimo tratamiento que requieren los últimos meses de vida del paciente. De un documentado estudio sobre la actividad asistencial y costes en los últimos tres meses de vida de pacientes fallecidos con cáncer en Euskadi, publicado en la *Gaceta Sanitaria,* me he permitido entresacar los siguientes párrafos:

«Los cuidados paliativos tratan los aspectos físicos, sociales, psicológicos, emocionales y espirituales de las personas al final de la vida, y de sus cuidadores. En el último año de vida, una persona genera un gasto mucho mayor que en el resto de su existencia. Durante los últimos 6 meses se genera casi el 40 % del total del gasto sanitario que una persona consume a lo largo de toda su vida. Los costes sociales se incrementan en el último año de vida y los costes sanitarios lo hacen de forma significativa en los últimos 3 meses, debido al aumento del número de ingresos no planificados en las últimas semanas de vida. Por otro lado, numerosos estudios indican una mayor preferencia por morir en el lugar habitual de residencia antes que en el hospital. En una encuesta realizada en siete países europeos, incluido España, dos tercios de los encuestados preferirían morir en casa si tuviesen una enfermedad grave, como cáncer. Sin embargo, los datos muestran que son más los pacientes que fallecen en el hospital.»

«Reino Unido prevé que el número anual de muertes aumentará en un 16,5 % entre 2012 y 2030. El gasto sanitario en el hospital, si continúa el actual patrón de lugar de defunción, es una amenaza para la sostenibilidad del sistema sanitario. Por tanto, es necesario desarrollar modelos de atención al final de la vida que ofrezcan alternativas apropiadas al hospital cuando el nivel de necesidad lo permita, y que respondan a los deseos de las personas al final de la vida, a la vez que sean menos costosos para el sistema. Existe evidencia de que un mayor gasto sanitario al final de la vida no se traduce necesariamente en una mejor atención sanitaria; al contrario, en algunos casos se traduce en una peor calidad de vida y mayor sufrimiento para los pacientes y para sus cuidadores.»

El doctor Xavier Gómez-Batiste, responsable de cuidados paliativos de la OMS, asegura: «El 70 % del gasto en Sanidad se produce en los últimos seis meses de vida.» De su entrevista yo deduzco que los cuidados paliativos son «una cuestión a resolver urgentemente» y que las supuestas y carísimas curas hospitalarias milagrosas no son la alternativa más recomendable.

El jesuita, antropólogo, teólogo y escritor Javier Melloni en una entrevista de Lluís Amiguet en *La Vanguardia:* «Si maduráramos, no alargaríamos los procesos tan complejos y problemáticos que vamos a tener con una población cada vez más envejecida a la que no se ha enseñado a morir. El saber partir es un acto de generosidad y de confianza, para el que aún no todos estamos preparados.»

Pero si la alternativa de morir resignado y convenientemente *tranquilizado* en nuestro hogar se generaliza, ¿dónde queda el fenomenal negocio de la Clínica Mayo y de las que le siguen en el ranking de las mejores de Estados Unidos?

Dice Borges: «Ser agnóstico facilita hacerse a la idea de morir: la perspectiva de la nada es grata, sobre todo en momentos de contrariedad o desánimo.»

Julian Barnes hace decir al protagonista de *El sentido de un final:* «A veces pienso que el sentido de la vida es menoscabarnos para que nos reconciliemos con su pérdida final, demostrando, por mucho tiempo que tarde, que la vida no es tan buena como la pintan» (meditación que encontré tras haber decidido el título y a medio redactar este panfleto y que lo resume magistralmente).

Foucault dice: «Intentemos darle belleza y sentido a la muerte como simple desaparición.»

Aunque me gustaría vivir algo más, porque me parece que aún tengo algún cuadro que pintar, algún bibelot que diseñar, algo que escribir (este libro), algo aún que enseñar a mi hijos..., estoy perdiendo todo temor a la muerte, solo me preocupa el dolor, la fealdad y dar la lata y arruinar económicamente a mis allegados.

Cuando la vida se le hace insufrible a un ser querido, aparece el delicado y trascendente problema de la eutanasia. Vaya por delante que yo soy un convencido defensor de su legalización. Soy muy reacio a firmar manifiestos, no creo que los «intelectuales» debamos aleccionar al «pueblo», y sin embargo he firmado varios a favor de dicha despenalización. Naturalmente, he hecho testamento vital frente a mi notario y espero que mi familia me facilite un tránsito lo menos doloroso posible. No he dejado sufrir los últimos estertores a los cuatro perros que me han acompañado a lo largo de mi vida. Tras un emotivo pasaje de *La insoportable levedad del ser,* en el que el autor narra cómo decide sacrificar a su perro enfermo de cáncer, Milan Kundera se cuestiona por qué esa piadosa alternativa está limitada a los animales.

Jorge M. Reverte publicó dos artículos impresionantes en *El País*. En el primero, de 2008, narra de forma dura pero cariñosísima cómo ayudó a morir a su madre, Josefina. En el segundo, titulado «Que nos detengan», escribe: «Hoy, 4 de abril, 10 años después de aquello, la policía ha detenido a Ángel Hernández por hacer lo mismo, es decir, por darle a su esposa, María José Carrasco, y de acuerdo con ella, una sustancia que la ayudó a morir, cuando era víctima de una enfermedad, la esclerosis múltiple, en fase terminal.» Y acaba pidiendo que, si su delito no ha prescrito, lo encierren en la misma celda de su compañero Carrasco.

Cuando el dolor y las limitaciones se hacen insufribles pero aún no nos hemos convertido en un vegetal y podemos valernos por nosotros mismos, la alternativa a considerar seriamente es el suicidio. Y hay que aceptar que muchas personas se suicidan en un estado de salud aceptable; lo hacen por razones sentimentales, laborales, familiares o psicológicas, porque la vida ha dejado de parecerles atractiva, ha dejado de *divertirles*. Hay que considerar que en el mundo hay unos ochocientos mil suicidios al año. Es la segunda causa de defunción entre los diecinueve y veinticinco años. Se dan más suicidios que muertes violentas, incluyendo las provocadas por terrorismo. Y esta «plaga» no se da particularmente en países ricos y decadentes, el 80 % se da en países de ingresos bajos o medianos.

DESENTERRAR CADÁVERES

Tras la proyección de unos documentales de tema arquitectónico gestionados por Gonzalo Herralde, estamos cenando en un restaurante de Madrid. Gonzalo ha reunido a un grupo de amigos francamente atractivo. Entre los comensales están presentes Laura García Lorca, antigua y atractivísima amiga, presidenta de la Fundación García Lorca y sobrina del poeta, su hermana Yaya y Lola Botia, presidenta de la Fundación Fernando Higueras y viuda del eminente arquitecto.

Naturalmente, preguntamos a las hermanas por el testarudo empeño de hallar y desenterrar el cadáver de su tío Federico. Afirman no estar de acuerdo en que lo que se haga con los restos de una persona es una cuestión que atañe a la familia. Que su asesinato hace recordar a las otras víctimas olvidadas. Precisamente el hecho de que sus restos estén mezclados con los de otros hace recordar que fue uno más entre los cientos de asesinados en Granada que permanecen en esa fosa común. Y la memoria histórica es eso. Aunque comprenden que alguien pueda buscar los restos de sus familiares, ellas no lo hacen. El que Lorca sea tan conocido, que sea un asunto tan mediático, conlleva una falta de respeto y decoro. Imaginan lo que supondría un proceso de selección entre restos, en el que se fueran analizando los huesos de las víctimas de la brutal represión, y se determinara: «No, no pertenece al famoso: de nuevo a la fosa» o «Sí, es él, ya lo encontramos».

Naturalmente, el resto de la mesa está absolutamente de acuerdo, entre copas criticamos la obsesiva necrofilia de Ian Gibson, explicamos qué deseamos que se haga con nuestros restos, y qué hemos hecho con los de nuestros parientes..., y entonces salta Lola: «Bueno, Fernando dejó bien claro que deseaba que sus restos se incinerasen y que nada de echar las cenizas al mar o a un idílico paisaje: que los tirase al váter. Y aún tengo la urna allí porque, como el aseo está en el segundo sótano —ya sabéis, el famoso *Rascainfiernos,* la vivienda que Fernando se construyó bajo tierra—, tengo miedo de que la bomba se atasque con sus detritus, que también me podía haber dejado una misión más sencilla, digo yo.» Entre el jolgorio general yo hago notar que solo en España puede darse una conversación de humor negro tan desenfadada.

Aunque alguna tradición religiosa, como la hindú o la de los aborígenes norteamericanos, prefiriese incinerar a sus muertos, el respeto por los cadáveres, el empeño por enterrarlos dignamente, se remonta a la prehistoria, se extiende por casi todas las culturas y

144

ha dado piezas de arte maravillosas. Basta recordar el arte mortuorio egipcio basado en su compleja concepción de la muerte, que descansaba sobre el deseo de transferir las cosas de la vida al más allá y de asegurar al *ka* (directo antecesor de nuestro concepto de alma) la vida eterna. La condición indispensable para sobrevivir a la muerte era que el cuerpo y la tumba que lo contenía permaneciesen intactos y además que en esta hubiese réplicas evidentes del cuerpo del difunto en forma de esculturas, relieves o pinturas. Cuando el alma del difunto regresara de su largo destierro a la región de los muertos debía reencontrarse con su cuerpo. Esta creencia, heredada, entre tantas otras, por el cristianismo en la resurrección de la carne, justificaba el empeño en la momificación de los cuerpos. El *ka* debía reencontrarse con un cuerpo momificado de apariencia lo más cercana posible a la del ser en vida. Pero esto no bastaba; había que dar más pistas al alma errante; había que rodear a la momia de representaciones del difunto lo más inequívocas posible: así nació el realismo en el arte.

En el empeño por recuperar los cadáveres de un terremoto, un incendio, un accidente aéreo o cualquier otro tipo de catástrofe se emplean todos los medios imaginables, incluso arriesgando vidas de los integrantes del equipo de rescate. Sinceramente, es un sentimiento que se me hace extraño. No creo en la resurrección de la carne, y si lo hiciese, no creo que dependa de que la carne se haya extraviado o incinerado. Sé que la incineración está vedada a los católicos ortodoxos, los judíos y los musulmanes y que es-

145

taba prohibida hasta hace poco por la religión católica, cuya doctrina afirmaba: «Enterrando los cuerpos de los fieles difuntos, la Iglesia confirma su fe en la resurrección de la carne, y pone de relieve la alta dignidad del cuerpo humano como parte integrante de la persona con la cual el cuerpo comparte la historia.» En 1963, empujado por la evolución social, el Vaticano aceptó la cremación, pero exigiendo que las cenizas fueran conservadas en lugar sagrado y de ninguna manera esparcidas por la naturaleza, divididas entre familiares o conservadas en casa.

Que existan familias que mantengan este culto a los restos de un ser querido me parece absolutamente respetable, pero que parte de mis impuestos se dedique antes a desenterrar desaparecidos de hace ochenta y cinco años que a paliar carencias de los vivos me parece una decisión discutible. Cuando, a lo largo de la historia, ha resultado imposible recuperar los restos de fallecidos –en tantas guerras, en el frente del Somme narrado en el capítulo inicial, al pie de las Twin Towers–, se han levantado memoriales funerarios, en muchas ocasiones de enorme impacto emocional. Cuando veo a familiares y amigos de los caídos buscando respetuosamente su nombre entre el de tantos compañeros, me convenzo de lo idóneo del lugar para honrar y recordarlos.

DISTINTAS MANERAS DE MORIR

Supone igual tontería llorar porque de aquí a cien años ya no viviremos, que llorar porque no vivíamos hace cien años.

MICHEL DE MONTAIGNE

No temo a la muerte, solo que no me gustaría estar allí cuando suceda.

WOODY ALLEN

Mis padres
Estamos en el privado del restaurante Azulete. Mis padres –ya muy envejecidos–, mi hermana, yo y nuestro asesor fiscal y amigo Marc Sala. Marc nos había recomendado esta reunión para enfocar desde el punto de vista fiscal el tema de la herencia. Explica pacientemente a nuestro padre que tal como tiene declarado su patrimonio, y con el impuesto actual de sucesiones, tanto nuestra madre como sus hijos tendríamos que pagar un pastón cuando él falleciese. Le recomienda que, sin prisas, vaya pasando algo de su patrimonio a sus herederos. Mi padre permanece callado, parece que se lo está pensando, pero cuando abre la boca es para decir: «Es que no tengo decidido quiénes serán mis herederos.» Me quedo de piedra. Que no confíe en mí, con quien no ha tenido jamás

una discusión por temas económicos, que desde antes de acabar la carrera no le he pedido ni un céntimo, que jamás he esperado heredar, que sospeche que si me cede algo en vida puedo dejarlo en la estacada en sus últimos años me parece incomprensible, me parece injusto y humillante, no consigo entenderlo. Días después, Marc me dirá que no me lo tome a mal, que su experiencia profesional le ha enseñado que a muchos ancianos les asalta el absurdo temor de pasar sus últimos momentos en la miseria, que estas cosas deben resolverse cuando se está en plenitud de facultades, que luego ya es tarde. Mi padre morirá repentinamente, al cabo de poco, sin habernos traspasado nada en vida. La herencia es para sus hijos, y nuestra madre queda como usufructuaria. Tal como había previsto Marc, nos toca pagar mucho dinero, cosa que hacemos sin rechistar. El reparto de esta herencia, dada la confusión en que dejó mi padre su patrimonio, vaticina la vulgar pelea familiar, pero en nuestro caso, ante la estupefacción de notarios y abogados, lo resolvemos sin la más mínima desavenencia.

La comida en Azulete ha acabado, al tomar el coche veo a mis padres cruzar la Vía Augusta con pasitos diminutos y cansinos y, por primera vez, tengo la terrible certeza de que la vida ya no les va a dar más, ni alegrías, ni momentos memorables, ni amistades, ni placeres, ni enseñanzas..., las cosas por las que vale la pena vivir. Esa revelación hace que me invada una tremenda tristeza, una tristeza más intensa que la que sentiré cuando efectivamente fallezcan.

148

Mi padre muere exactamente como yo desearía hacerlo. Una noche se va a dormir encontrándose perfectamente y, a la mañana siguiente, cuando van a despertarlo para acudir al trabajo que voluntariamente continúa realizando en la editorial de mi hermana, ha fallecido. Así, sin darnos tiempo para lamentos, sin haberlo tenido que ver penosamente dolorido o impedido, sin siquiera haberlo visto jamás en una silla de ruedas.

Mi madre fue todo lo contrario. Pasó sus últimos años sola, sin bajar a la calle ni ver a nadie, ya no leía (que fue la afición de su vida), desconfiaba de todo el mundo: de mi hermana (que vivía en el piso contiguo), del servicio (estaba convencida de que le robaban), de los múltiples médicos (a los que no obedecía). No podía controlar sus deposiciones (lo que a mí, que había estado tan enamorado de ella, me resultaba traumático).

Ambos renunciaron a toda ceremonia póstuma, ni entierro ni funeral. Mi padre dejó su cuerpo a la ciencia, vinieron del Hospital Clínico y se llevaron su cadáver. Mi madre fue incinerada en el interior de un ataúd de pino (el más económico) y sus cenizas yacen al pie de la espectacular canariensis que en su día me regaló y que, desgraciadamente, también sucumbió a la plaga del picudo rojo que asoló a millares de palmeras de todo el Mediterráneo.

Salvador Dalí

Estoy convencido de que Dalí no fue consciente de lo inexorable de su muerte hasta muy tarde, concretamente hasta que sufrió una intervención de próstata a los setenta y tres años. En repetidas ocasiones, había manifestado que confiaba en que la ciencia habría resuelto el problema de la inmortalidad antes de que llegase su hora. A la pregunta de si deseaba ser clonado (era el momento de la oveja Dolly) respondió –con su característica clarividencia– que sí, siempre que el ser clonado conservase su memoria. Hasta aquella edad, Dalí se mantenía, física y mentalmente, absolutamente joven, despierto, interesado por cualquier novedad, el último descubrimiento científico, la última película, el último grupo de hard rock, el último bar punkie de New York... No solo hablábamos de Vitruvio y de Luca Pacioli, también lo hacíamos de asuntos y chismes de actualidad. Nunca tuve la sensación de hablar con un anciano, una persona con la que tuviera que escoger o censurar los temas de conversación. Tampoco me pareció que Salvador tuviese problemas físicos para acceder y disfrutar de cualquier restaurante, espectáculo o interesante exposición. Lo trataba como a un sabio, despierto y extraordinario amigo de mi edad. Todo eso cambió radicalmente en 1977, cuando él tenía solo setenta y tres años, seis menos que yo ahora.

La primera vez que Dalí se vio ingresado en un hospital, aunque fuese para una operación de bajo riesgo, se le hizo presente que efectivamente un día moriría, y esta certeza le traumatizó. La prueba de lo que digo es que él –que con toda razón afirmaba que la única diferencia entre un loco y Salvador Dalí era que él no estaba loco– comenzó a mostrar claros signos de demencia. Alternaba momentos de paranoia y noches demenciales reptando como un caracol. Personas cercanas buscaron la ayuda del prestigioso psiquiatra y amigo de artistas Joan Obiols, que, por cierto, falleció en Port Lligat inmediatamente después de visitar al pintor por última vez. Se afirma que la demencia de Dalí comenzó tras el fallecimiento de Gala, tres años más tarde, pero esto no es cierto, comenzó, para desesperación de la propia Gala, tras la operación que le hizo vislumbrar la muerte. Mal asunto cuando esto solo lo descubres a avanzada edad.

Que Dalí se opusiese a que se incinerasen sus restos me lo explico por su irracional esperanza en una hipotética resurrección, no fundamentada en creencia religiosa alguna sino en el imparable progreso de la ciencia (insensatez parecida a la de su amigo Walt Disney). Sea como sea, Dalí se equivocó y sus restos ni siquiera reposan donde él había deseado. Lo hacen junto a los aseos de su Museo de Figueres por una supuesta última voluntad solamente escuchada en conversación privada por el alcalde de la ciudad, Marià Lorca, e increíblemente aceptada por el resto de la Fundación. El pintor había previsto y hecho construir un mausoleo en el castillo de Púbol, donde yacería junto a su amada Gala tomándola incluso de la mano, ya que entre ambas fosas había previsto una vena de comunicación.

El no convertir sus restos en cenizas posibilitó, varios decenios más tarde, la profanación de su tumba. Apareció en escena una trastornada mujer afirmando ser hija del pintor y reclamando la correspondiente herencia. La única prueba que esgrimía era que su abue-

151

la se lo había confesado cuando ella era una niña. Todos los datos biográficos desmentían esa sospecha, que para los que lo conocimos bien era literalmente *surrealista*. Así lo habían considerado varios jueces hasta que la demandante consiguió que una magistrada de Madrid lo estimase tan fundamentado que ordenase el desenterramiento del cadáver del pintor y la mutilación de un miembro de su cuerpo para efectuar el oportuno análisis de ADN. De nada sirvió que la Fundación Gala-Salvador Dalí argumentase que estando el hermano de la demandante vivo se podían comparar ambos ADN y descartar que proviniesen de padres distintos. De nada sirvieron los concluyentes argumentos, la tumba fue profanada, el cadáver mutilado y el preceptivo análisis químico arrojó el resultado que todos preveíamos. Muchos dijeron que a Dalí le habría encantado el universal escándalo mediático, auténticamente surrealista, que provocó el *affaire:* yo no estoy de acuerdo. Creo que no solo esta humillación sino los últimos años de su vida fueron el triste y vejatorio epílogo que él nunca habría imaginado ni aceptado. La prueba está en la reticencia a que sus amigos lo viésemos en aquella deshonrosa condición. En su espléndido libro Amanda Lear explica que la última conversación con el Maestro tuvo que realizarla oculta tras la puerta de la habitación, ya que él no podía aceptar que le viese en aquel grado de indigna decrepitud.

Enric Miralles

Inicio de 2000. Enric Miralles, el joven y brillante arquitecto además de gran amigo, comienza a sufrir frecuentes e intensos dolores de cabeza y dificultades para escribir y dibujar. Oculta estos males a su familia y colaboradores e, incluso, utiliza una nueva forma de dibujar a trazos, para disimular su torpeza. Sufre ataques de ira y en uno de ellos está a punto de agredir a su amada esposa, Benedetta Tagliabue. Reconoce al fin la necesidad de acudir a un médico e inicialmente visita al doctor Saval. Tras diversas consultas le hacen un escáner. La circunspecta mirada del especialista cuando ve la imagen escaneada transmite a Enric la clara imagen de la muerte. Tras el absolutamente pesimista diagnóstico inicial, Enric y Benedetta inician un periplo por otros reputados especialistas de la ciudad. Todos ellos, incluido el prestigioso José Baselga, diagnostican un tumor cerebral de tipo IV, un glioblastoma inoperable por su posición centrada en el cerebro, una esperanza de vida de dos años como máximo. Enric se desespera pero afronta lo inevitable, confiesa la gravedad de su estado a sus colaboradores y comienza a repartir responsabilidades para ultimar sus proyectos y obras en curso. Pero parte de la familia, amigos y colaboradores se rebela, no puede ser que no exista alternativa, solo tiene cuarenta y cinco años, es un toro, hace un mes estaba perfectamente... A pesar de que todo el arsenal terapéutico no amortigua el infausto pronóstico, con una mediana de supervivencia de catorce meses, al final encuentran un doctor que ve una posible esperanza acudiendo a un especializado hospital de Houston, el M.D. Anderson Cancer Center. Entonces la fortuna les sonríe. Resulta que en aquel tiempo tanto Enric como yo estábamos trabajando en proyectos situados en el área de Diagonal Mar para Gerald Hines, un destacadísimo promotor de Estados Unidos al que la buena arquitectura le interesaba de verdad y con el que acabamos entablando una buena amistad. La central de su empresa se ubica precisamente en Houston y en aquella ciudad –a cuyas instituciones había hecho generosas donaciones– y en aquel hospital Hines gozaba de enorme prestigio. Su comportamiento nada más enterarse de la situación de Enric fue admirable, no solo consiguió que el director del hospital los recibiera de inmediato y los remitiera al mejor cirujano especialista del centro, sino que ofreció su residencia en la ciudad, una mansión espléndida con jardín y piscina, para que Enric y Benedetta, al principio, y toda su familia después, residieran en ella. Dijo que si él tenía que pasar algunos días en Houston iría a un hotel.

El cirujano estrella los recibe en el acto, estudia el caso y lo considera operable. Desgraciadamente, otras urgencias impiden que la intervención se haga antes de una semana. Durante esos días de espera la salud de Enric se deteriora a pasos agigantados. Entra en estado muy delicado en el quirófano, pero tras la intervención mejora visiblemente. En un día y medio vuelve a casa. Puede volver a escribir. Él, que durante días se había negado a que Victoria y yo acudiésemos a verlo en aquel penoso estado, parece que ahora está bien dispuesto. Pasa una semana tranquilo. A la segunda inicia su tratamiento de radioterapia, que le va agotando progresivamente. A la tercera semana inicia la quimio y a la cuarta está literalmente destrozado.

Deciden que lo más sensato es seguir la quimio en Barcelona. Desciende del avión en silla de ruedas. Ha pedido convalecer en una casa proyectada por Coderch y, milagrosamente, han podido alquilar un chalet coderchiano en Sant Feliu de Codines. Allí le suministran la cuarta semana de quimio, que es la que lo mata.

Hasta aquí los hechos, vamos con las interpretaciones:

A mí, desde buen principio, aun comprendiendo la resistencia de él y de los suyos a aceptar lo inevitable, ir a Amerika me pareció un tremendo error. Por desgracia yo había padecido una experiencia parecida con Anna. Desesperado por la aparición de la recidiva de un meningioma tras dos intervenciones en Barcelona, decidimos acudir a un reputado hospital de New York. Fue, con mucho, la experiencia más dura e infernal de mi vida. El trato en el hospital fue burocrático, impersonal, gélido. El coste económico, exorbitante, tanto que tuve verdaderos problemas para afrontarlo, y eso que la gran diseñadora de joyas y gran amiga Elsa Peretti nos cedió su estupendo ático en Manhattan. Al regreso de la intervención, que en modo alguno fue más exitosa que las locales, me juré que jamás repetiría la experiencia ni para mí ni para mis seres queridos.

En mi opinión, los médicos que visitaron a Enric aquí fueron absolutamente honestos, renunciaron a una intervención sumamente rentable y clínicamente interesante por considerar que no tenía esperanza alguna de éxito, que traumatizaría al paciente y a su familia inútilmente. Sé que los prestigiosos hospitales norteamericanos intentan lo imposible por unos honorarios desmesurados. Si no hubiese sido por la ayuda de la Hermandad del Colegio de Arquitectos y de Gerald Hines, la familia se habría quedado en la ruina, como se quedó, en su momento, el destacado diseñador y buen amigo Pepe Cortés, al que unos años antes diagnosticaron un aneurisma de aorta que podía acabar matándole. En aquel momento nadie en España podía afrontar una intervención quirúrgica de aquella envergadura, por lo tanto en su caso la única solución era ir a Stanford (presupuesto 800.000 dólares a pagar por adelantado) o a Houston (presupuesto 120.000 dólares a pagar por adelantado). Optaron por la segunda alternativa. La intervención fue aparentemente bien, pero el coste –que finalmente superó los 150.000 dólares– dejó a Pepe literalmente arruinado, tanto que tuvo que poner en alquiler el ático que con tanta dedicación, entusiasmo y talento había edificado en el barrio de Gràcia como su estudio y residencia. Tuvo que irse a vivir al Empordà, al chalet de su pareja. Cada vez que venía a la ciudad dormía invitado en el hotel Om, propiedad entonces de la generosa amiga Rosa Esteva. Al cabo de pocos años, Pepe tuvo una recaída que obligaba a una nueva intervención. En aquel momento la Sanidad Pública española ya la podía afrontar, a ella se acogió Pepe y, por un coste prácticamente cero, fue intervenido con absoluto éxito y aún continúa hoy vivito y coleando.

La narración de las últimas semanas del banquero Pedro de Toledo, que puede leerse en la biografía escrita por Jesús Cacho, es estremecedora. De cómo un banquero millonario se desplaza con extrema urgencia a Rochester en avión privado convertido en UCI para, tras un paro cardíaco en pleno vuelo y ser abandonado en la pista de aterrizaje durante una eternidad, morir en la Mayo de forma miserable. Lo leí hace casi treinta años y no puedo quitármelo de la cabeza.

Desde luego, el negocio no es el único objetivo de estos centros; los punteros hospitales estadounidenses ejecutan operaciones y tratamientos arriesgados y novedosos porque, aunque el paciente acabe falleciendo, ellos habrán aprendido algo: la medicina habrá dado un paso adelante. De todas formas, hacen lo imposible para que el paciente no fallezca en su centro. Lo envían a casa –sea Enric o Rocío Jurado– cuando ya no hay esperanza, y así la estadística de fallecimientos en el hospital queda salvaguardada. Este tipo de intervenciones desesperadas quizás contribuyan al avance de la medicina, pero yo no estoy dispuesto a esta generosa contribución: si no me pueden curar, quiero sufrir el mínimo dolor posible.

Así había recordado los últimos días de Enric, pero, antes de pasarlos a limpio en este libro, decido visitar a su viuda, Benedetta Tagliabue, y confirmar estos recuerdos. Bene está encantadora; tras comer con su hija y con Eva en su casa, nos sentamos a hablar tranquilamente. La conversación me deja de piedra. Resulta que ella lo valora de forma totalmente opuesta. Que las semanas que prolongaron la vida de Enric valieron la pena. Que los médicos locales fueron malvados, pues les confesaron fríamente que no había esperanza y en el fondo se alegraron de que su pesimista diagnóstico finalmente se confirmase. Que la fisioterapeuta americana que asistía a Enric tras la intervención fue aún más malvada, pues cuando Benedetta le precisó el tipo de tumor que padecía, ella, gélida y cruel, le aconsejó que abandonasen las sesiones, ya que al paciente le quedaban dos semanas de vida. A pesar de la dolorosa espera y de que, tras la operación, Enric sobrevivió una semana tranquila y cuatro dolorosas, Benedetta no se arrepiente, lo volvería a hacer. Lo dejo escrito aquí para demostrar que, en este delicadísimo tema, aunque no las comparta ni las entienda, respeto otras actitudes.

Jaume Vallcorba

Telefoneo a mi íntimo amigo y gran editor Jaume Vallcorba. Durante unos veinte años hemos hablado de la ilusión que nos haría publicar un libro mío en su prestigioso sello, Acantilado, y finalmente lo hemos conseguido. Le he explicado a mi editor habitual, Jorge Herralde, de Anagrama, que esta edición nos hacía ilusión y se ha mostrado muy comprensivo. El libro, *Amables personajes,* acaba de publicarse. Llevo días intentando infructuosamente conectar con Jaume en la editorial para organizar la presentación. Finalmente, recurro a la para mí última solución: telefonearlo a su casa. Me responde Sandra, su joven, bella y talentosa colaboradora y reciente esposa. Oigo que Jaume pide ponerse al aparato, lo hace y me suelta: «Oscar, me estoy muriendo.» Así, de sopetón, sereno y resuelto. Naturalmente, me quedo de piedra y solo se me ocurre la estúpida pregunta: «¿Y te lo han confesado?», a lo que Jaume responde: «Naturalmente, me han detectado un tumor cerebral inoperable y me he negado a que me hicieran una biopsia o más análisis inútiles. Me ha encantado la estrecha amistad de la que hemos disfrutado tantos años y me gustaría que tomásemos un té en casa para despedirnos con propiedad.» Ya nos tenéis a Eva y a mí, al cabo de un par de días, presentándonos puntuales en casa de Sandra y Jaume, con un Sauternes y unas pastas de Sacha. Nos abre una enfermera, nos hace pasar a la sala y nos dice que esperemos un momento, que los señores nos estaban esperando y que pronto estarán con nosotros. Tras unos minutos aparecen muy elegantes y formales. Jaume, con americana y corbata, camina con dificultad pero se le ve despierto y muy digno. Nos sentamos y hablamos de todo. No entramos en detalles de su mal ya que yo, a diferencia de muchos, no siento morbo por los pormenores clínicos, pero hablamos de la muerte, de cómo su profunda fe católica (no conozco a otra persona con una fe así) le está ayudando, de cómo está diseñando detalladamente su entierro, de los momentos felices que hemos compartido, de lo orgulloso que está de haber podido publicar finalmente un libro mío, de la continuidad de su editorial, de la absoluta confianza que él tiene, y que nosotros tenemos que tener, en Sandra para llevarla adelante. Todo es muy emotivo, muy sincero, muy hondo, nada sensiblero. A pesar de su dificultad para andar, se empeña en despedirnos en la puerta. Nos damos un abrazo consciente de que es el

159

último. En el portal Eva no resiste más y rompe a llorar desconsoladamente. Yo soy consciente de que he vivido uno de los momentos trascendentes de mi vida, un momento en verdad triste, pero digno, estético, nada depresivo.

Juan Belmonte

Un bel morir tutta una vita onora.

PETRARCA

De todos los beneficios que nos reporta la virtud, uno de los más grandes es el desprecio a la muerte.

MICHEL DE MONTAIGNE

Existen tres cuestiones muy delicadas que se acostumbran a discutir de forma muy grosera: el aborto, la eutanasia y el toreo. Escuchar los habituales debates sobre estas cuestiones en la radio o la televisión me comienza irritando y acaba deprimiéndome sin remedio. Pero las sucesivas depresiones han servido para que llegase a una conclusión: que la intolerancia sobre estas tres cuestiones se debe a que están relacionadas con un tema tabú en la contemporánea cultura occidental: la muerte.

En la España de mi infancia aún moría alguien en su casa, rodeado de los suyos, aún se veía algún entierro pasar ceremonialmente por las calles, interrumpiendo el tráfico y provocando el momentáneo recogimiento de los viandantes; algún anciano incluso se quitaba el sombrero. La gente llevaba luto, algunos una fúnebre banda negra en la manga de la chaqueta. En la España de mi infancia aún atisbábamos la muerte en algunas ocasiones; después, paulatinamente, fue ocultándose con pudibundez. Hoy los jóvenes apenas la vislumbran. Les pedimos enormes sacrificios durante la presente pandemia: que dejen de tomar copas con los amigos, que permanezcan en casa a partir de las diez, que dejen de bailar, que dejen de achucharse, que dejen de acostarse, que tengan conciencia de que su insensatez comporta un riesgo para sus abuelos. Pero ellos ya no ven morir a sus abuelos, no lo hacen en casa, hace mucho tiempo que están recluidos en una residencia o en un hospital. Los jóvenes desde siempre han visto la muerte como algo lejano que no entraba en sus planes personales, pero hoy tampoco lo viven en sus mayores: no les exijamos por tanto penosas renuncias.

Como ya he explicado, fue durante mi estancia en Estados Unidos, como profesor invitado en una universidad, cuando tuve clara conciencia de que —como toda moda yanqui, sea el Halloween, Santa Claus o el Black Friday— la imagen de la muerte iba a desaparecer de nuestra vida cotidiana. La muerte está totalmente oculta en los medios de Estados Unidos, pero no cabe duda de que se ha convertido en un tema tabú también en nuestro país y en general en toda la cultura occidental. Nombrarla se considera de mal agüero, se oculta a los niños, parece algo sucio y vergonzoso, olvidando que es el momento culminante de nuestra vida, aquel para el que deberíamos ha-

161

ber estado preparándonos día a día. Morimos solos, en un lugar extraño, entubados en una unidad de cuidados intensivos, ataviados con una ridícula batita estampada, con el culo al aire. Morir es trágico, pero ¿debe ser tan humillante? Tenemos tal terror a la muerte, se nos ha preparado tan mal para su llegada, que lo único que nos preocupa es aplazarla. Por conseguir unos días estamos dispuestos a arruinar económica y psicológicamente a nuestros familiares; por unas cuantas horas estamos dispuestos a pasar por todas las humillaciones y padecimientos que los doctores nos impongan. No queremos entender que, incluso cuando superamos una enfermedad mortal, no hemos vencido a la muerte, solo la hemos aplazado un poco. Como dice Woody Allen, para vivir unos pocos días más y la mitad lloviendo.

Con una aversión tan radical y generalizada frente a la muerte no es extraña la crispación con que se afrontan temas como el aborto, la eutanasia o el toreo, ya que en los tres casos abordamos la muerte: en uno, la de una persona en gestación; en otro, la de un agonizante, y en el último, la de un noble y bello mamífero en su plenitud. Los contertulios habituales en cualquier debate sobre estos temas llegan con una idea totalmente preconcebida que no están dispuestos a matizar con la opinión de los demás, nadie escucha, casi todos suponen las peores intenciones en sus oponentes, y acaban insultándose, no sin antes exigir la solución aparentemente más fácil: prohibir.

Vaya por delante que en los tres casos el recurso de prohibir me parece groseramente radical, y por lo tanto

162

muy inadecuado para tratar temas tan sutiles. Provocar la muerte de un feto, acelerar la de un doliente irreversible o ver sufrir a un animal no puede ser motivo de jolgorio para nadie. Como el diestro Rafael de Paula, creo que los toros pueden ser una emotiva tragedia, un rito, pero nunca una *fiesta*, a no ser que demos significación primigenia a esta palabra, como lo hace Eugenio Trías en su libro *La edad del espíritu* cuando la define como la cita del hombre con lo sagrado. En este sentido la palabra no puede resultar más apropiada.

En lo que atañe al aborto y la eutanasia el pertinaz posicionamiento de la Iglesia católica no deja de escandalizarme. Puedo entender que considere ambas prácticas un gravísimo pecado mortal (pecado mortal, ¡qué expresión!), que merezca la condenación eterna, por lo que es comprensible que no las recomiende a sus seguidores. Lo que me escandaliza es que una institución teóricamente dedicada a la salvación de nuestras almas insista en exigir a las autoridades civiles ejemplares castigos terrenales para los desgraciados pecadores. Creo que estas conminaciones ponen en evidencia la poca fe cristiana de los mandatarios eclesiásticos. Si estuviesen convencidos de la condenación eterna por un pecado mortal, ¿por qué deberían reclamar prosaicas penas terrenales para tan tremendas faltas? ¿Confían tan poco en convencer al pobre médico de que se está condenando al fuego eterno por practicar abortos o facilitar la eutanasia que tienen que exigir que se le arreste?

En el otro extremo, el de los progresistas, se rechaza la prohibición del aborto y, más tibiamente, la de la eutanasia, pero se reclama la inmediata prohibición del toreo. Comprendo sus razones y comparto muchos de sus sentimientos, pero no comulgo con sus exigencias. Primero, porque desconfío de la eficacia de las prohibiciones en estas cuestiones y, segundo, porque me temo que por coherencia deberíamos acabar por prohibir no solo las prendas de piel o de cuero, sino también la venta y consumo de carne.

La distinción que los enemigos del toreo establecen entre un matadero y la plaza es que mientras en el primero se sacrifican animales de forma encubierta y por pura necesidad, en la segunda se transforma este sacrificio en espectáculo. En esta cuestión reside, a mi parecer, la clave de la cuestión. Es evidente que la corrida es una escenificación de la muerte; es indiscutible −por mucho que se asegure lo contrario− que el animal sufre durante esta representación, pero la esencia de la misma no reside en este sufrimiento, muy al contrario, cuanto mejor transcurre la corrida, cuanto mejor están sus protagonistas, menos sufre el animal.

A diferencia de la seguridad y radicalidad que manifiestan invariablemente todos los tertulianos, debo reconocer que los sentimientos que experimento en la plaza son ambiguos y contradictorios. Por un lado, como los animales me inspiran cariño, sufro viendo el dolor y la agonía del toro. Sus gestos, su mirada, sus rictus de dolor, no pueden dejar de recordarme a mi perro. Cuando vuelvo de la plaza y sale alborozado a recibirme, me recuerda a los animales que acabo de ver sacrificar. Pero, por otro lado, soy

164

sensible al drama que se desarrolla en el ruedo, a la complejidad y la trascendencia del rito, a su profunda belleza. En las plazas he vivido horas de aburrimiento pero minutos de intensa y profunda emoción. La progresiva extinción del toreo me parece inevitable, pero esto no me enorgullece ni me hace feliz, entre otros motivos porque es la única práctica artística donde el creador se juega la vida. Si el diestro es un incompetente o un farsante el toro no le perdonará; a Hirst, a Koons o a Murakami los empitonaría al primer pase.

En un libro que afronta el tema de la muerte me parecía imprescindible tratar el tema del toreo y oportuno concentrarlo en el gran matador cuya vida retrató magistralmente en el libro *Juan Belmonte, matador de toros* el periodista y escritor Manuel Chaves Nogales. El libro es extraordinario, explica, en palabras de Belmonte, toda su trayectoria como matador. Desde que, de chaval, para torear de día en la dehesa atravesaba con su pandilla el río a nado, dejaban la ropa escondida en unos matorrales de la orilla y nadaban llevando amarradas a la cabeza las alpargatas y las chaquetas que les servían de capote para torear. Completamente desnudos conseguían apartar una res y en un calvero cualquiera la desafiaban con el breve engaño en las manos. El toreo campero, teniendo por barrera el horizonte, con el lidiador desnudo oponiendo su piel dorada a la fiera peluda, es, a su juicio, superior a la lidia sobre el albero de la plaza, con el traje de luces y el abigarrado horizonte de la muchedumbre endomingada. Experiencia, esta última, que

165

en su edad adulta le eleva a un éxito y una popularidad arrolladores en América, España, Sevilla y, sobre todo, Triana.

Chaves explica en palabras de Belmonte cómo este revolucionó la fiesta en el convencimiento de que no existe la tradicional distinción entre terreno del matador y terreno del toro, que solo existe el terreno del matador, que es el único ser racional en la contienda, lo que le exige no mover los pies. Esta consideración me recuerda el comentario que nos hizo José Tomás a un reducido grupo de aficionados que le acompañamos en un hotel barcelonés tras una de sus memorables actuaciones en la Monumental. Aseveró el diestro que, en la contienda, el torero tenía todas las ventajas respecto al toro –la inteligencia, la sabiduría, las diferentes suertes que debilitaban al astado...–, pero que tenía una sola y obligatoria limitación: no podía mover los pies. Y, recordando los momentos de profunda angustia que yo había pasado contemplando alguna de sus faenas, comprendí hasta qué punto obedecía este mandato a rajatabla.

Pero Belmonte apuntilla el presente libro no solo por su extraordinaria carrera como torero, lo hace también por su memorable muerte. El genial guionista, escritor y gran amigo Rafael Azcona mostraba un gran respeto por la solución final de Juan Belmonte. La consideraba «una decisión personal absolutamente respetable». A mí me parece no solamente *respetable* sino *admirable,* y pienso que Foucault, que consideraba la vida una posible obra de arte y colocaba la muerte en la cresta de la ola del placer, estaría de acuerdo.

La dignísima muerte de Juan Belmonte, el inmenso torero que no quiso soportar lo que Jorge Manrique llama *el arrabal de la senectud*, generó multitud de hipótesis, como que, por primera vez, no pudiese satisfacer sexualmente a su joven amada Enriqueta. Sin embargo, el hallazgo de la carta que Andrés Martínez de León envió a su amigo José Pérez Gómez, a México D.F. el 3 de agosto de 1961, que aquí me atrevo a resumir –ya que no oso interpretarla–, narra fielmente las últimas horas de la vida del gran Juan Belmonte: «... Juan se suicidó de un solo disparo por encima de la oreja derecha, tremenda decisión que, por lo visto, tenía tomada hace tiempo. Ni amores contrariados, ni absurdos problemas económicos. Juan se ha negado a pararle, aguantarle y mandarle al último toro de su vida: al de la vejez. No ha querido que este toro último lo zarandee y ponga en ridículo y ha dado la "espantá" (la única de su vida) [...].

»Su horror a la postura final belmontiana era conocido de todos nosotros. Tal vez pensara que Belmonte el trágico, Belmonte el misterioso, debía tener un epílogo dramático que levantara por última vez de sus asientos a los espectadores. De ahí su verdadero pánico por ser atropellado por una bicicleta, motos o camiones; por una larga enfermedad, llena de claudicaciones físicas...

»El gesto de Hemingway, matándose, le quedó fijo. La muerte reciente de Julio Camba, a quien vio morir en medio de penosas claudicaciones físicas, acabaría por decidirlo. Su leyenda, su vida auténtica, con el ¡ay! de la cornada siempre encima; "Gallito", muerto como un héroe, en los cuernos de un toro... y él, vivo. Todo esto, y hasta la literatura volcada sobre él, actuaba fuertemente sobre su espíritu trágico, de andaluz desesperado. Y la solución era el tiro, el tiro de un revólver, como de juguete, que siempre le acompañaba, en el bolsillo.

»–"Pue... pue entonces –decía, ante el problema– no queda má solución que er tiro; er tiro y ermontoncito de tierra... er montoncito..." [...].

»El día de su muerte, se vistió Juan de corto, con esa sobria elegancia varonil de nuestros ganaderos. Muy de mañana, fue a Triana, para entregarle a su... novia un fajo de billetes: "Ahí tienes 450.000 pesetas –le dijo–. Si de aquí a Semana Santa no te las pido, quédate con ellas. Son para ti." Luego, oyó Misa y salió para su finca; quince días antes había hecho testamento.

»Su recorrido a caballo por la finca fue una auténtica despedida callada. Con todo el mundo habló y todos los rincones vio. Luego, acosó y derribó. Los médicos le habían prohibido este gran esfuerzo, pero este día él mismo sacó a las vaquillas, las corrió y derribó, ante la sorpresa de la gente.

»Luego, a la caída de la tarde, quiso encerrar en la placita de tientas a un semental que pastaba en el campo [pero ante la posibilidad de que el toro solo le lastimara desistió del empeño].

»Ya anocheciendo, casi entre dos luces, [...] se encerró en su despacho, entornó las ventanas, puso en marcha el ronroneo del pequeño motor que da luz al caserío y se pegó el tiro. Cuando, al cabo de un tiempo, entró la criada, lo encontró muerto, con la cabeza inclinada sobre la mesa ante la que estaba, sentado en un sillón frailuno, con el revólver en la mano. Dejó carta al Juez. [...]

»Al entierro no fue mucha gente. A sus funerales, nadie. La Iglesia pasó por alto el suicidio. A muchos les pareció, el acto de Juan, una cobardía; a otros, un acto de entereza, digno de Belmonte.»

Entre estos últimos se encuentra el autor de este panfleto.

EPÍLOGO

«Ante la disyuntiva de tener tiempo o cosas hemos optado por tener cosas», afirma el lúcido Gabriel Zaid. Y nos hemos equivocado. Ahora nuestro máximo lujo es tener tiempo, ya que somos conscientes de que es un preciado bien que se nos agota y que, muy probablemente, hemos malgastado.

Me acuerdo de una discusión entre arquitectos sobre la valía de un colega. Unos valoraban su indiscutible éxito profesional, otros opinaban que era un arribista sin escrúpulos. Para acabar con el debate, el imaginativo proyectista Dani Freixes exclamó: «Pero vamos a ver, ¿este individuo va a vela o a motor?» Gran cuestión que nunca he olvidado. Podríamos dividir el colectivo de creadores entre los que van a vela y los que van a motor. Desde luego, muchos de los grandísimos –Vermeer, Velázquez, Antonio López, Barragán, Scarpa...– han ido a vela.

Desde mi infancia, adoro el mar –las playas no tanto– y me aburre el campo. Me encanta navegar y, como muchos marinos, considero que navegar de verdad es hacerlo a vela. Desplazarse a motor es ir de un lugar a otro en el menor tiempo posible. Y cuanto menor es el tiempo empleado, mayor es el despilfarro de combustible, el estruendo de las máquinas y los violentos rebotes del casco sobre las olas (hablo del Mediterráneo o de otros mares, no de los plácidos lagos del norte de Italia). Además, aunque el mar esté picado, navegar a vela no marea porque nos movemos en un plano —el definido por la arboladura y la quilla—, no arbitrariamente en el espacio de tres dimensiones como algunas atormentantes atracciones de feria. Muchos grandes creadores —escritores, editores, arquitectos, diseñadores, fotógrafos— tienen veleros, algunos prácticamente viven en ellos.

El colmo de lo opuesto al placer de la vela es la moto de agua. Es difícil imaginar artefacto menos amable, más agresivo, más ruidoso, más despilfarrador de energía, menos ecológico. Lo cabalgan siempre jóvenes (en el peor sentido de la palabra) y machos (en el peor sentido de la palabra). Insensatos que no paran de hacer estúpidas y peligrosísimas cabriolas en medio de atemorizados bañistas (ya que, si fueran lejos, ¿quién valoraría su temeridad?). Si el Gobierno español prohibiese radicalmente el uso de estos artilugios en sus aguas territoriales se apuntaría un tanto de repercusión universal. Naturalmente, esta iniciativa provocaría la airada pataleta de algunos botarates (¿cuántos?, ¿unos cientos?, ¿pocos miles?), pero el inmediato aplauso de millones de personas sensatas, pacíficas y preocupadas por la integridad de sus hijos y por el medio ambiente oscurecería esa protesta. La noticia sería portada en el *New York Times* y en todos los periódicos respetables del orbe, sería un mensaje totalmente gratuito dedicado al turismo que a España le interesa precisamente promover.

Navegar a vela es disfrutar del viaje. No importa adónde vayamos. Da igual el tamaño de la embarcación, solo importa pilotar cerca del agua, no en lo alto de la atalaya de un yate de motor. Es el silencio, solo roto por el viento y el romper de las olas, es sentir en la caña el combate entre el rumbo escogido, la dirección de la corriente y la del viento preso en nuestras velas. Es el desafío de utilizar las arbitrarias fuerzas de la naturaleza para dirigirnos a donde deseamos. Es la excitación cuando, con todo el trapo arriba, sentimos el crujir de los cabos, cómo escora peligrosamente la nave, cómo caen los objetos que no hemos afianzado en la cabina...

Mientras nos quede algo de tiempo y un mínimo de salud no renunciemos al placer de conversar con un sabio, a la belleza de personas y obras, a risas con amigos, a acariciar un perro, a la sombra de una pérgola emparrada, a un sorbo de Château d'Yquem, una lonja de Joselito, un melocotón de viña..., a surcar Nuestro Mar a vela.

ÍNDICE